Le cœur et autres mélancolies

Collection «Piqué d'étoiles»
dirigée par Jacques Josse et François Rannou

Ouvrage publié avec le concours de
la Maison de la poésie de Rennes, Villa Beauséjour

ISBN 978-2-84398-289-7

Denise Desautels

Le cœur et autres mélancolies

Villa Beauséjour
Rennes
29 septembre — 3 décembre 2005

Éditions Apogée
Villa Beauséjour / Rennes

À la mémoire de l'errant

Dans le langage de l'absent,
Il n'y avait pas d'absence.
Martine Audet, *Les manivelles*

Le petit air sort de notre poitrine / (« air » est un mot choisi dans une anthologie de poèmes sur le cœur), / mais notre sang reste frais. / La nature suit un ordre que nous ne connaissons pas, / qui n'est pas celui du rêve ni celui de l'amour.

André Roy, *Traité du paysage*

Liminaire

J'ai eu la chance d'habiter la Villa Beauséjour, au cours de l'automne 2005, de découvrir Rennes et un peu alentour, de me prendre d'affection pour des gens et des lieux — auxquels, bien que je vienne d'un Québec par moments lointain, je ne suis pas étrangère — et d'y écrire une première version de cet ouvrage. Le voici aujourd'hui, après quelques mois de doutes et de tâtonnements, dans une forme plus éclatée que prévu. *Le cœur et autres mélancolies* comporte des textes autour de l'image du père et un journal de résidence, qui alternent, ce qui permet à leurs mélancolies de se relayer. Un « appendice » suit, par nécessité. Y sont regroupés des références et des commentaires divers, assimilables à des notes en bas de page autant qu'à des explications d'ordre géographique, historique ou littéraire. Une autre forme de journal. Pour que le lecteur/la lectrice n'ait jamais l'impression d'être tenu/tenue à l'écart.

Revoir le père

Vous refaites surface, une nuit de mai. Cinquante-trois ans après votre disparition. Dans Paris où vous n'avez jamais mis les pieds, où votre fille se transplante chaque printemps en quête d'aération. Le large. Ce qu'il permet de visions et de fouilles. Restée vivante, loin de chez elle, plus près de la vraie nature du monde, de son je-ne-sais-quoi de souffrant, de rageur ou simplement de soucieux, que du blues intime qui de toute manière la rattrapera. Ce qu'on froisse ou secourt, le réel de a à z, qui bat partout, vite, fort, ça l'affole, votre fille. Jusque-là sans père. L'état d'urgence, elle y tient. Remue ciel et terre, tente à toute force, les paupières hautes, d'éviter la noyade. D'une année à l'autre, elle fait le tri parmi ce qui reste, ce qui durcit à l'intérieur, chaos, fracas, fantômes. Place un océan entre une mémoire privée, d'automate — qui ne vous concerne plus, du moins elle veut le croire —, et une autre, vive et ample, qui ravage. Recommence ailleurs, étudie de plus près, surtout laisse venir. L'histoire avec ses amas de corps broyés, orphelins, ses volcans, ses tentations, ses compromissions, l'histoire, chaque avril, s'en rapproche, la respire jusqu'à y séjourner.

Vous, d'un autre siècle, l'ancien sur les épaules, une nuit de mai, prêtant votre regard à tant de visages ignorés, clandestins.

Rennes, le lundi 3 octobre

Fin du festival Les bruits du monde. *Les autres s'en vont. Sauf C., la messagère. / Rester. Manger seule. Une diagonale de jais s'avance, maladroite. Voir seule une aile sombre se heurter contre la vitre. / Je suis la locataire de la Villa. Je gravis maintes fois les quatre marches qui séparent la petite pièce de la grande. J'occupe l'espace, m'y éparpille. Transforme un lieu de passage en éternité. / Trois ans aujourd'hui. Ai rompu l'équilibre de mon corps. Une vie ou non après la cigarette. L'odeur, l'errance des doigts, la beauté lascive ou nerveuse du geste, le* sfumato *des ronds de fumée. Brutalement. Deuil feint. Invraisemblable. Peux tout à l'heure ne pas résister. / André Gide sur France Culture, la théâtralité archivée — froideur, fausseté — de sa parole écrite, refermée. Je viens d'un autre continent, malgré la marque des* Nourritures terrestres. */ Une tentation subite. Dorloter ma langue, sa fougue, sa défaillance. Hésiter. Laisser de la réverbération ou du blanc entre mes mots. Insérer ici et là deux ou trois archaïsmes, deux ou trois québécismes dans la conversation. / La vie au loin se poursuit, me revient par intervalles. L'amour au loin, son impatience, ce* c'est fait, c'est vous, choisi, élu, unanimement, bravo, *au bout du jour. Doigts, phrases, espoirs croisés pendant qu'on délibère sur l'autre continent.*

Le séjour, le hasard

Chaque avril, ça recommence, déracinement et voyage, avec l'intention qu'on l'interroge, votre fille en rond à l'intérieur d'elle-même et cependant curieuse. L'effroi, l'attrait, ce qui gravite autour et plus loin.

Sa pensée stridente au musée Picasso, il y a quelques mois, devant *Tête de femme criant*, 1903, plume, encre brune et lavis sur papier. Sans solitude ni repos, au pire du voyage, l'autre versant de la famille, son front oblique, sa nuque, sa tête loin derrière, sa bouche ouverte, sombre, et l'obsédant courage de ses lèvres qui tiennent bon pendant le cri, c'est elle s'acharnant, luttant contre chaque atome d'air et de son, elle, omniprésente, votre femme, sa mère aux visages mille et un. Cherche, cherche, creuse, son attente au bout de l'oblique, votre fille jusque-là sans père, l'étrangeté requise enfin à sa portée.

Le mercredi 5 octobre

Jour beige. Après l'extrême bleu d'hier. Jour lent. / Flânerie dans Rennes. Ne pas m'empêtrer dans l'exotisme. / Écrire père, *mettre à jour le mot* père *dans l'anonymat des rues, en marge des façades à pans de bois aux couleurs fictives. / En pays étranger, marcher comme on vagabonde, délinquante, courant des risques, soutenant des regards ou bifurquant sur des rues oisives, s'y égarant. Terriblement mortelle. /* Père, *l'épeler à voix haute, habituer mes lèvres à la vibration surprise des sons* père. */ Chercher une forme, du passé remodelé, du futur palpable. Tourner autour de la tête endormie, flottante, de Parmiggiani, place de Coëtquen. Noter* vous n'avez été longtemps qu'une tête flottante, que je n'éprouvais pas. Non pas endormie mais noyée. */ J'ai installé la table d'écriture devant la porte-fenêtre et le balcon pour mieux voir le jardin, le canal, son eau « mêlée au soleil », et l'espace dans lequel je me suis posée. / D'ici, d'en haut, à gauche de l'allée centrale, un grand cèdre qui n'est pas d'Amérique, et juste au centre, des roses rouges, comme si ça n'avait rien d'incongru en octobre. / Insupportables, les roses depuis mon premier cimetière. Dans leur parfum, chaque fois, le vacarme de la ruine. / Ici, l'hiver n'aura pas lieu. / Voilà où j'en suis. Les plantes, les gazouillis, l'air, l'eau, ma respiration, mes os existent naturellement. / Être dedans. Me sentir être dedans. Isolée. Entourée.*

D'instinct, elle dit

Mon père, elle dit, la nuit du six, jour pour jour, cinquante-trois ans après votre mort. *Mon père*, malgré l'invraisemblance, avec naturel, enfin le naturel quotidien des filles envers leur père, envers eux dans le cocon, et par là se trahit, trahit le bord ombre, involontaire, de son désintéressement, le peu de traces laissé en elle par votre fin. Voilà. Sans que le moindre indice lui ait été fourni, une attente aura préexisté à *mon père*, sorte d'obstination d'enfant butée aux prises avec des débris d'âme dans la région orpheline de son cerveau, une résistance à votre mort casée là, depuis cinquante-trois ans, là. Quelque chose en dedans n'aura jamais renoncé, aux aguets sans interruption, contrairement à ce qu'elle a pu prétendre.

Comme le mot *liberté* qui se tient debout, à la manière d'une sentinelle, entre les lèvres de son fils, l'enfant rebelle, que vous ne connaîtrez jamais. Ce qu'on entend, ce qu'elle vous dit — répondant à l'exhortation maternelle récurrente, *mon père mort, « parle-lui », dit ma mère, mon père mort, « nous le rejoindrons un jour », murmure ma mère* — à la fin du mot *Père* dans *Ce désir toujours*.

Le jeudi 6 octobre

Juste avant mon départ pour une visite guidée de la ville, en compagnie de O., lu dans Paul les oiseaux *:*

Tout est démesuré   dehors
Même une paume   contre la joue

Plus tôt C. sur le palier, derrière la porte que j'entrouvre, avec armes et bagages : étagère, table et fer à repasser, bâtonnets de vitamines pour les plantes, sets, parapluie, presse-citron, couteau à pain, à légumes, disques — Barbara et Satie —, livre sur la Bretagne, de recettes, ibook, modem, cabas, carte de France, réveil, cadre métallique à cœurs ajourés pour les photos d'amour. / Puis C., de nouveau chez moi, après la visite. Nous parlons planning, dans la lueur orange de 18h, vite ramenées aux questions laissées en suspens, à l'angle touffu des choses, nos bouches vulnérables aux mots ravissement, confidence, consolation, *nos mouvements remplis de fantômes, vite mêlés à l'arôme du thé vert. Nous doutons de tout. Nous nous compromettons. / Les vacances scolaires. Le bureau ferme ses portes. C. me quitte pour plusieurs jours. Au téléphone, à l'instant de partir* coucou, c'est la voisine d'en bas… t'accompagnerai à la gare mardi matin pour tes trente-six heures parisiennes. / *Pour moi toute seule* ma petite ange aux ailes de porcelaine.

Son territoire, c'est la mélancolie

Infini veuvage de la mère. Grenaille dans l'aile de l'enfant. Après chaque départ, une rumeur se répand de mère en fille, et vice versa. La pesanteur des rêves et des armes arbitrairement répartis, petit à petit l'intimité se liquéfie. On vit mal, voit mal, à l'étroit dans cette aventure sans fenêtre. Vite vieilles, désenchantées, irréconciliables, et le regret contagieux de quelque chose de perdu, d'irrémédiablement perdu mais de vague, mais d'anonyme, tourne, tourne en rond. Ici, au visage, au ventre, l'inconsolation. Ici, les pas obéissants, hantés, par qui ? La nuit sans nord. Pourquoi au juste ? Votre fille a toujours cru que vous n'en faisiez pas partie, vous, hors circuit, hors-jeu, vous, achevé, impossible, loin des étoiles, enseveli sous deux mètres de terre. Toujours cru que ses larmes ne vous concernaient pas. Sans père, sans loi, votre fille. *Intacte*, elle disait, constamment au bord du prochain dimanche. *Intacte*, soulevée par l'obscurité du prochain dimanche. Rien de pavlovien entre son effroi antique, son corps de fillette sous une pile impeccable de draps, ses cauchemars embarrassés par les récits apocalyptiques de sa mère, fictions de flammes et de cendres autant que d'âmes voyageuses, et la sirène d'alarme qui depuis barre ses nuits.

Dans la bouche de l'enfant narrateur de Philippe Garnier : « Mon père avait une capacité de survie extraordinaire ».

Le vendredi 7 octobre

Des heures sans hâte. / Ai perdu l'habitude de la fragilité venue du dehors — près et pourtant loin de la rumeur de la ville —, du moment, de l'horizon planté là qui ne bouge pas. Sans conséquence. / Le tableau précis. Une jeune femme — celle que j'ai été, elle-même aux prises avec l'enfant puissamment là, solidaire, qu'elle a été — au bord d'une rivière. Ça coule en elle. Des larmes. La mort de nouveau chemine dans le paysage. Juillet, dimanche, dix-huit heures. Trop de désert tout d'un coup. Trop de campagne à perte de vue, de plaine, de soleil en biais, tenace, d'abandon, de léthargie. Sans courage tout d'un coup contre ce calme brut, d'aveugle, qui n'apaise pas, au contraire qui agresse. L'émotion à forte dose se répand. Sans témoin. / Complot contre la joie. Même le langage s'est absenté. / L'urbaine résiste, exige de l'effervescence, du vacarme, s'il le faut. Que ça monte, que ça exulte, des muscles, des nerfs, des sens et de l'outrance, la vie humaine, voyou. / Mon imaginaire fixé à la ville, à son architecture sonore de verre et de béton. Zones troubles. Éblouissements. Spirales. Solitude choisie, radieuse. / Puis l'affolement, une rage presque de ma paume. Des éclats de verre sur la moquette. / Il a fallu que quelque chose arrive. Que j'entende quelque chose arriver.

Refoulée loin, la question première

Brusquement son bras aussi haut qu'une pensée, *à quoi servent les pères*? Déjà posée en d'autres lieux, autrement, *à quoi servent les croix*? Sous les mensonges, échafaudages et fleuves faux, elle cherche. Où va la lumière? le repentir? vous? elle? le front oblique de sa mère? le sien? celui de l'univers? ce que nous voyons, empreinte lourde ou déchirante au fond des fenêtres de famille? ce qui, en haletant, nous observe? Une sensation de hauteur, quelque chose — espérer dans le noir — s'approche, se ramasse en boule. Voyez, c'est étrange, ce regain d'harmonie dans l'air, on dirait du plomb violet qui va, coule de sa tête désirante vers le cœur de sa paume. Et son poing se referme. Surtout ne pas laisser échapper l'interrogation, surtout l'arracher aux impostures que décuplent les vases clos, c'est ce qu'elle se répète, votre fille. Hors de la famille enfin, courbée vers l'autre, aimantée par l'autre, n'importe qui, sans abri ni subterfuge, confiante, arc-boutée à la logique du monde, *à quoi servent les pères*? L'épithète *invulnérable* lancée un soir autour d'une table, vérité et évidence parmi des mains et des rires de femmes, elle ne la comprend pas.

Dans *Ventriloquies* : « Je dirai tout. Toute la vérité. Je le jure. Je n'ai rien à cacher. Mais j'ai peur que cela se sache. »

Le samedi 8 octobre

De la douleur dans les rues, celle des gens et des chiens qui errent, des paralytiques aux corps dénudés, poussés — près de l'église Saint-Aubin, sur la place Sainte-Anne, vers la rue Saint-Malo et le square de la Rance — par d'autres gens qui errent dans cet octobre chaud. / Je détourne les yeux. Ne pas voir. Ni les chiens ni le jeune punk roux, ses épaules décharnées, ses os, ses anneaux, ses lourds tatouages, sa voix pierreuse, son profil d'infirme dans son fauteuil roulant qu'on pousse, qui roule, passe devant moi, tourne à droite, s'en va le long du canal sur l'autre rive, vers un autre monde. Comme celui-ci. Sans aucun ciel. / Enfant, la longue main de ma mère devant mon visage. Un signe qui crie ou se tait trop fort. / Surtout ne rien voir, ne rien entendre. S'absenter. Grandir ainsi. Inachevée. Refuser pourtant l'insuffisance, l'incomplétude des corps. / Ce soir, un firmament rose bonbon, qui ment. Loin de la ville. Loin du sol. Et devant moi, l'horizon bêtement démesuré. / Ce soir, à ma rescousse, Tout comme elle, *le manuscrit de l'amie restée de l'autre côté du monde :*

> Je suis sans réponse face à la douleur [...]
> Je resterai toujours sans réponse face à la douleur.

La nuque appuyée contre le vide. Des rêves de gouffre, sans bras qui volent à mon secours. Radio, journaux, rues, des haines de gorge et de guerre foisonnent. / La nuit, au-dessus de l'eau, la plainte se confond avec les vents fermes et les aboiements. Parfois, en prime, un tableau de Van Gogh. De la noirceur hurlante, éloquente.

En effet, à quoi, à quoi

Votre cœur s'est rompu, et vous n'avez plus été là. Comme si jamais avant, ni vous marchant, consentant, imaginant, ni elle mise au monde, comme si rien, et n'importe quoi par la suite. Un ébranlement du soleil, on dirait, dans ce pays pesant de nuit, devant ce lot de langues et de fronts clos, de charités et de pitiés. A grandi sans savoir, votre fille, sans rien savoir, l'épreuve de l'énigme au quotidien, *à quoi servent les pères?*, l'épaisseur du féminin pluriel alentour, de l'excès de mères, leurs paroles obsolètes, assassines, et les suaires en croix qui attendent on ne sait quoi, on ne sait qui, cousus aux ténèbres. Il aurait fallu qu'elle s'opposât, votre fille, qu'elle interdît à ses doigts d'enfant de découper des poupées risibles à l'infirmité voyante, pour faire passer la longueur du temps, de les aligner dans des terrains vagues ou des tranchées, qu'elle affrontât les manœuvres de votre femme, sa mère, sa façon de métamorphoser ses morts en vivants, de converser avec eux avant leur authentique résurrection. Ardemment des voix d'hommes. Contrer les délires et les braillements féminins, mettre en pièces le beau et le bon, se désajuster, opter pour le trop-plein, l'outre mesure, hurler ce qui ne se dit ni ne se fait, tirer la langue aux morts de mai et de novembre ou rire gras. Tenir bon. Ardemment espérer dans le noir.

À son secours, un acharnement de poète. *L'offense lyrique et autres poèmes* : « Ne pas mentir — alors que ma voix est / Plus douce, quand je mens. »

Le dimanche 9 octobre

« Les mots de la fin », un court texte pour le numéro du Sabord, *où l'on rendra hommage à AMA. Essaie d'y être au plus près de moi, d'elle. Reconnais la difficulté d'y être, le poids aussi de la langue et de ce titre, « Les mots de la fin ». / Un premier souvenir.* Nous en reparlerons sans doute, *le livre commencé au début des années 80, devant une photographie — sorte d'autoportrait en noir — de Raymonde April, avec mes mains et sa bouche.* Nous en reparlerons sans doute. *Insignifiance désormais. / Dans mes lettres, je l'appelais Anna-Maria, l'Égyptienne, et je signais la Pharaonne. Plus de vingt ans. / Un jour, le quotidien ne nous a plus réussi. / Un deuxième souvenir. E. lui téléphone — il a peut-être vingt ans — pour savoir comment on apprivoise le fauteuil roulant de la femme qui vient sans crier gare de vous chavirer le cœur. / Anna-Maria. La fin avant la fin. Plus de souffle. Plus d'écho. Effacer notre dernière rencontre. Nos mots anodins alors que nos oreilles et nos yeux savaient, avaient déjà tout décodé. Nos derniers mots. / Un jour, je n'ai plus été capable de soutenir l'insoutenable. Ou plutôt ce qui se dissimulait sous sa violence : l'évolution maligne des exigences qu'il charriait, la confusion, le chaos. Absurdement Anna-Maria, la paraplégique, Anna-Maria, l'enfant gâtée. / S'est amenuisé, puis rompu le fil de notre conversation. Sa vieille magie. Nous ne nous rêvions plus en commun. De l'ombre grasse entre nous, bien avant l'annonce de sa mort. / Un appel. Une supplication. La longue main de ma mère.*

D'où venez-vous I

Deux ans plus tard vous récidivez. Les faits se précipitent, et la cohérence et la fréquence des hasards poussent votre fille vers vous. Commande de texte pour *Histoires de pères*, juste avant qu'elle quitte l'Amérique, parution de l'abécédaire, avec l'intrusion singulière des mots *Père* et *Vous*, dans l'air tranquille de la chambre, un six nuit, lecture du récit, *Mon père s'est perdu au fond du couloir*, à peine là — quel hasard, ô ! —, et jusqu'à ce lieu, Rennes, nous y reviendrons, étonnamment proche de celui de l'ancêtre. Vers vous aussitôt emportée par des faits de géographie et d'écriture, elle qui se croyait libre, exempte de filiation paternelle. Aujourd'hui confrontée à des sons martelés dans sa bouche et sur la page, *Mon père s'est perdu au fond du couloir*, ne se demande pas, votre fille, de qui il s'agit. Trente-neuf ans, vous aviez. Le cimetière droit devant, on vous y mène, le factice froid de mai vous recouvre. Qu'une demi-existence. Interrompu, inaccompli, ne vous êtes pas défendu. Ne serez jamais un homme vieux. Pourriez être là encore, tangible, palpitant. Avec le temps forcément plus jeune qu'elle et de plus en plus.

Mon père s'est perdu au fond du couloir. Sur scène — théâtre ou vie, peu importe, les orphelines apprennent vite à jouer, à mentir —, s'exposer, espérer, repousser les limites. Vos bras, les siens, les vôtres, ne seront jamais assez longs.

Le lundi 10 octobre

Lumière étincelante, quasi québécoise, dans laquelle je marche ce matin, place Saint-Melaine et jardin du Thabor, ancien verger des moines, redessiné au XIXe siècle, avec grotte, cascade, roseraie, volière. Endroits — ignorés il y a quelques jours — aujourd'hui familiers. Rassérénants. / Sur France Culture, 21h : Art. Esthétiques. *Des hommes — des* gars *comme on dit chez nous — se racontent. L'un d'entre eux pour avouer qu'il a découvert l'art dans les musées par le biais des nus féminins. / Entre hommes, on est et on discute, et on ne le remarque pas. L'universel, ce soir, souverainement masculin. Consensuel, interminable, sans issue. / Oublier ou faire comme si. Me ramener vers : femme, j'écris, veux écrire, m'y tiens, renégociant chaque jour mon geste, malgré ce* sans issue. */ À deux pas du lieu du père, sur l'image du père, je consigne tout, le moindre soupçon. Ironique hasard. / Qui parle ? l'orpheline ? l'impuissante ? l'incompétente ? la rêveuse ? et de qui ? et de quoi ? et de quel recoin ? Autrefois muette. / Ce soir, vilain symptôme, les marques dans le cahier de moleskine, disloquées. Qui dit* je *au milieu de moi ? / Croire encore à une langue étonnante, étonnée. Mieux, à plusieurs, réseau de langues femmes, hommes, ouvertes, discrètes ou volubiles, pénétrantes.*

«Mais j'ai peur que cela se sache», votre fille répète

Entre des draps de nuit, l'une et l'autre, loin d'ici. Mois et siècles où le corps de votre femme couve l'autre, petit, tout petit, celui d'elle, le recouvre, pourrait le casser, mais le petit continue de respirer normalement nuit après nuit, même sans vous, mais le petit en chien de fusil retient le grand, l'attache à lui, s'y cramponne, chaise ample, arc de cercle qui berce, fixe, vendu comme ça, ventre chaud, amphibie, contre dos frémissant, surtout éviter les spectres de nuit, mais le petit sans cesse poursuivi a peur, de lui-même et de l'autre, de la moindre anicroche et du fossé qui à tout bout de champ risque de se creuser entre lui et l'autre, affolé par la bête, sans savoir qui elle est ni d'où elle surgira, par ce qui s'accélère dans l'autre, sa voix caméléon, tantôt elle-même, tantôt méconnaissable, avec de mâles inflexions, dans l'autre qui réclame la vérité, toute, et l'obéissance, qui en impose, blâme, juge, incrimine. De trop près la vie nocturne et son vertige, les sent, c'est fou, veut s'enfuir, cherche, acharné, la porte, soudain se voit loin, exit le petit, et des tas de flammèches se détachent, montent — duquel? Et des bras et des mains scandaleux, les zieute, appartiennent à quelqu'un, à qui, à qui? Le petit n'avoue pas, même sous la torture, n'avoue pas.

Le jeudi 13 octobre

Derrière moi, trente-six heures parisiennes. Automne roux le long des quais parmi des remous de Seine et de souvenirs. / Novembre 1998. Montréal. Hôpital Notre-Dame. Après un saut de démente à Paris, la navette entre la chambre de l'amie et celle de la mère — laquelle la première s'envolera ? Morte un mois plus tard, l'amie. Avant la mère, bien avant. La démente en voudra longtemps à sa mère. / Dans le studio de France Inter, la question — l'unique, la seule pertinente, semble-t-il — de l'autobiographie. J'aurais dû prévoir, ne penser qu'à ça. L'origine du geste. L'aveu. Le plus que réel, l'enregistrer. / Une citation de Paul Chamberland, reprise un jour en épigraphe :

> J'ai su très jeune qu'il en irait toujours ainsi.
> Qu'était-ce au juste, ce sentiment de l'inguérissable ?

Ce désir toujours *: la mère, le fils, l'amour, l'amie, la mort et les faits apparemment vérifiables. Comme si n'existait dans mon travail que du singulier, que m'échappaient les mots et leur polysémie. Tout ce qui fait passer de l'extrême intime à l'extrême universel, à l'extrême catastrophique. De l'un aux autres. À quelques-uns, du moins. / Pourquoi m'acharner ? Qui dit* je *dans mes livres ? / Des rencontres où s'entrecroisent réalité et fiction. Celle-ci, entre autres, dans la bibliothèque de la Villa, avec C. et Antonio Otero pour parler de Clotilde Vautier, sa première femme, du livre autour de son travail de peintre et du film de Mariana, l'une de leurs deux filles,* Histoire d'un secret. */ Le temps se presse devant mes doutes. / Les épreuves à corriger — c'est soudain urgent — de l'anthologie en traduction.* The Night Will Be Insistent, *Selected Poems 1987-2002. / Cette nuit existe pour de vrai, pour de bon, m'appartient et se prolonge en langue étrangère.*

Reste à l'ombre la vérité

Loin du grand corps faisant la petite chaise, sa douceur trouble la nuit, du grand insistant pour se tenir là, au premier rang, là, pour entendre, épier, régir jusqu'aux soubresauts du petit, celui de son enfant fille qui rêve du pire, qui pourrait lui échapper, mais le petit n'avoue pas, tait le pire, l'extrême tentation, mains et bras, flammèches et brasier, ne plus bouger jusque dans sa nuit, son ferme propos parmi les eaux agitées du secret. De plus en plus difficile le combat contre ce qui insiste derrière, là, le fond de cour, l'interdit, le différent, les deux pièces exiguës encombrées de lits, de nourrissons, de tontons et d'aïeux, n'avoue pas, reflets et remords, rictus, loin de l'étreinte maternelle, sa chair coupée de l'autre, faussement libre, le frisson, près de la porte qu'on entrebâille, son pied sur le seuil, son pied apeuré, attiré par l'intérieur, pied tenté, coupable qui succombe, n'avoue pas le relent de mauvais jaune, ni la crasse, ni le va-et-vient tapageur des ombres et des regards, ni le dépeuplement c'est si soudain de la chambre, ni les doigts longs, excessives phalanges que son œil guette, qu'il sent venir, qui se rapprochent, ti galop, grand galop, objets défendus, souillés à proximité de sa nuque, n'avoue pas le souffle louche, ni l'haleine jaune qui tache, ni le troisième jour, le troisième seulement, deux ongles seulement qui se faufilent entre le turquoise du t-shirt et la peau, ni son envie irrépressible, honteuse, d'être langée dans le même jaune que les autres.

Le dimanche 16 octobre

Samedi un déjeuner avec C. et V. La complicité murmurée, emménagée par petites touches, quelques heures avant l'événement Chevaigné. À 18h, dire et entendre les mots miens, et ça tourne, et ça virevolte, et ça emporte pourquoi écrit-on ? vous ? depuis quand ? pour qui ? et comment ne pas se laisser accabler par le doute, la dureté, l'inhumanité ambiante ? / *Ensuite il n'y a plus qu'à continuer, qu'à fabriquer de l'utopie au plus près de sa tyrannie. Boxeuse au centre du ring. Ses poings en attente, épiant l'éclaircie. / Après un vagabondage qui m'a menée vers les halles centrales – fermées le dimanche –, suis arrêtée chez le boulanger, rue Saint-Michel – le meilleur pain au levain de la ville –, puis chez le fleuriste. / Au téléphone, après l'émission* La librairie francophone, *des voix rassurantes. (Suis vraie, paraît-il, chose rare… langue et ton sincères. Ce qui me sauve sans doute – à la radio, à Chevaigné, au quotidien – de la banalité. L'authenticité. Ouf!) / Dans la bibliothèque de la Maison de la Poésie,* Pas revoir. *Deux ans après une première lecture. Il m'a attendue là. Coïncidence parmi d'autres. Alors que, dans les circonstances, le « pas revoir » ne se pose pas. N'ai jamais vu cet homme, mon père, ou si peu, et dans un autrefois si irréel. / Le regret de ce qui n'a jamais eu lieu, dont on est irréparablement exclue. Cela ou pas, la mélancolie ? Ne pas avoir pu formuler ni même avoir envisagé de le faire :*

> Tu avais de beaux yeux mon père mais j'ai à voir ailleurs.
>
> Tu as mes fleurs j'ai ton sourire on est quitte.

N'ai rien. Qu'un amalgame de sons. Réapparus récemment. Et tant d'imprécision alentour.

D'où venez-vous II

Vous réapparaissez, et le cadre reste flou, sans visage, avec des traits de pénombre. Vous repérer, échappé d'un trou noir, entre éternité et aujourd'hui. Retrouver ce *nulle part ensemble*. Rattraper le distant, espace et temps inutilisés, le poser dans un livre, votre chair et la sienne collées à ses pensées de fille, de femme brusquement penchée en arrière, vacillant mais sans désespoir, du moins vous concernant, au large de chez elle. Redessiner le parcours d'une histoire béante, scandée en alternance par des afflux de désert et de mythe, sans résistance mais sans forcer la note, sans velléité de réparation. Tout bonnement comme si *fin* n'avait pas existé. Comme si votre femme, sa mère, qui avant sa propre disparition avait pris l'habitude des autodafés — par peur des restes, des traces, de l'exaspération trop risquée du silence, du bâillon qu'à n'importe quel moment on peut soulever, de ces matières sibyllines domestiques si facilement métamorphosables par sa fille, sa fifille folle, en impertinences sonores — ne pouvait plus fabriquer de néant autour d'elle. Surtout vous donner plusieurs visages, nouveaux universaux de l'affection, fille et père manquants.

Le lundi 17 octobre

Ce soir, sur le ibook, le film de Mariana, l'une des deux orphelines. Leur histoire jointe à celle des femmes, à celle de la censure et de la liberté — avec en marge le ton irréfutable et le magnétisme de Simone Veil —, à celle de la souffrance, de la détresse, de l'amour et de l'art. Leur histoire polyphonique face à la mienne, dérisoire. Épreuve négative de la leur. / Simonne — avec deux n, erreur orthographique sur son baptistaire rédigé à Montréal, en 1911 —, *le prénom de ma mère. / Clotilde et Simonne. Tant d'écart entre une vie et une autre, un grand amour et un autre, entre silence et volubilité, aveu et mutisme. / Confrontation inégale entre une existence où mémoires intime et collective sont inséparables, et une autre où se présente seule l'histoire personnelle, restreinte, dont la part secrète a grandi petitement à huis clos, sur une autre planète, à distance des tragédies et de l'insensé du monde. En milieu disons... protégé. Et cependant — comment le nier ? — souffrant. / Suis ramenée à ce luxe : créer, mettre l'espoir en mots. L'univers intégral à ma portée. / Ramenée, légèrement en arrière, à ce Montréal francophone et ouvrier de 1911, qui a longtemps duré. Puis, et même si ça a l'air d'une digression, à ce titre qu'Anne Hébert a donné à un texte publié dans* Le Devoir *du 22 octobre 1960 : «* Quand il est question de nommer la vie tout court, nous ne pouvons que balbutier ».

Vous avez été cette enflure dans sa voix

Pense rarement à vous et jamais en père manquant, votre fille, rarement, si peu, chaque fois responsables, les circonstances extérieures, un supplément d'abandon ou de cauchemar, du théâtre ou la mécanique cassante d'un muscle précieux. Mort, mort pour elle, au centre de l'autre siècle, mais pas pour votre femme, sa mère, la capricieuse, la catholique. Survivant éternel, vous, premier d'une série d'âmes qu'elle nomme *voyageuses*, s'assurant ainsi de leur immortalité, votre bourdonnement de nuit, ininterrompu, passé en fraude dans sa voix, implanté là, laquelle manœuvre à son tour, dès l'événement de votre fin, pour assiéger celle de votre fille. Pendant d'interminables décennies, résistante, réfractaire à votre rumeur, la voix de votre fille, occupée en totalité par l'inflexibilité et la véhémence de l'autre, l'irrévocable, la maternelle.

Sans délai dissiper l'équivoque. La *voix* maternelle et sa vacuité dissimulée sous l'enflure, son néant dont on ne guérit pas, votre fille insiste, la *voix* non la *langue*.

Le mercredi 19 octobre

Que s'est-il passé lundi, mardi ? Qu'ai-je fait de ces heures ? Quand je n'ouvre pas le moleskine, le trou. / Sauf les problèmes de traduction à régler d'urgence. L'angoisse, ma vie, la vie en jeu à chaque signe, et l'indécision me détruit. La même, pernicieuse, qu'à chaque fin de manuscrit. Comme s'il s'agissait chaque fois du dernier livre. De la dernière chance. / Sauf... ma rencontre avec C. Deux Anglaises buvant leur thé, parlant écriture et futur — espère fort que ma petite ange n'ait pas été heurtée par mes dérives de vieille poète féministe d'outre-Atlantique, qu'elle ait reconnu les bribes d'incertitude massées au fond de ma gorge. / Sauf... les tendresses téléphoniques entre Rennes et le monde. Les mille et un courriels, cartes postales, lettres. / Aujourd'hui, un jour long qui débute tôt. Redon. Une traversée de la campagne, une clarté du matin déposée vive sur des verts et des mauves. Nous arrivons avec beaucoup de retard. C. soucieuse, moi légère. Dans la bibliothèque, des élèves de 6ᵉ, intarissables, aux questions éparses ; puis, de 3ᵉ, calmes, presque graves. Puis le fou rire de l'un des garçons résonne. Malaise brusque. Abus d'intimité. Une lecture d'extraits de Leçons de Venise, *autour des fusils de Michel Goulet, change la donne, c'est exprès. Une seule sculpture : guerre, guérison, utopie. Face à face : des armes et des mots. Se dresser contre une fureur instantanée, arbitraire. / Mon amour à Québec, ce soir. Moi, devant le canal, dans cette fatigue qui m'enlève toute velléité de travail. Épuisée d'avance par l'abondance d'écritures et de ratures quotidiennes, le « Villa Beauséjour », entre autres textes, s'élaborant à petits traits... L'indigence. L'envers de l'exploit. Rien jamais ne m'est donné.*

Prématurément, jusqu'à satiété

La nuit s'est placée, et l'exactitude divine, et la loi du silence dans l'intégralité du corps maternel. Or, aujourd'hui, la fouilleuse d'archives familiales trouve insolite sa propre indifférence à votre égard. Plus d'un demi-siècle d'incuriosité quasi autistique. Pas ici mais ailleurs, sur un autre plan et dans un autre registre, son inconsolation et pourtant. L'archéologue prise en défaut. Ses mains poreuses, vos silhouettes et vos paroles anciennes égarées entre des couches d'abîme. Puis rien. Ni le pourquoi ni le comment, sauf ce diagnostic rapide d'un cœur qui n'a pas tenu le coup. *Prématurément*, jusqu'à satiété. Et vous qui aviez été là n'y étiez plus. Et cette façon qu'a eue votre femme, sa mère — sa bouche incessante, pleine de vous, avide, goulue, en ce qui vous concerne, mais toujours en deçà du sûr, de l'authentique —, d'occuper le devant de la scène, l'encombrant de tumultes et de tombes, en ayant l'air d'entretenir votre mémoire, ne la disculpe pas.

Le jeudi 20 octobre

À la radio, La chambre claire. *Sur la photo gardée secrète jusqu'à la fin, quelqu'un insiste* la mère de Barthes a quatre ans. / *Forcément je repense à celle de mon père, décrite dans l'abécédaire — « un père plus beau, plus flamboyant, plus moderne que les six hommes placés en demi-cercle derrière lui » —, l'une des seules qui existent de lui, où je ne suis pas, où j'ai quatre ans, prise un an avant sa mort. / Forcément remonte « La blessure », un texte écrit pour la série radiophonique,* Souvenirs d'enfance et de jeunesse, *et publié en 1988, où je cite* La chambre claire *et note l'impossibilité dans laquelle Barthes se trouve de « montrer la Photo du jardin d'Hiver », car « en elle, pour vous, aucune blessure » dit-il. / «La blessure » : « Juin 1950. Ta mère s'est approchée de la mienne, s'est penchée. Le plus beau jour de juin. L'intrusion du tragique. Le terrain connu. La répétition. Ce pourrait être le soleil qui fait pleurer ma mère. » Puis : « Photographie d'une première rencontre : nos mères côte à côte sourient, nous tenant par la main ; aux deux extrémités, nous penchons légèrement la tête vers elles. Ton père insiste : " Souriez... le petit oiseau...", avant d'appuyer sur le bouton de l'appareil.» Cette photo n'existe pas, je l'ai inventée. / «La blessure » encore : «Le témoignage n'intéresse pas, pas vraiment. [...] Je dis : l'autobiographie dans la mesure où elle cerne cette blessure. Uniquement cette blessure. » / À 18h,* Colette dans l'histoire des femmes, *à l'UFM de Bretagne. Bizarre que cette soirée ait lieu quelques jours après le texte sur AMA, la spécialiste de Colette. / Un téléphone de mon amour : une dizaine d'exemplaires de la réédition de* Ce fauve, le Bonheur *ont été livrés à la maison aujourd'hui.*

Le siècle de Saint-Denys-Garneau I

Mon père s'est perdu au fond du couloir. Quand ? où ? au fond de quel aven ? devant quel témoin ? Le *grand amour*, votre femme dit. Vous l'entendez, aimeriez qu'elle collabore, se rapproche, à votre portée les faits et gestes du grand amour, aimeriez plus de lèvres, de la chair permise où fixer vos paumes, ne trouvez pas, vous affolez, mais le grand amour ça ne peut pas mal finir, vous demandez rien qu'un peu d'épaule, où est passé le corps. Trop de jersey pêche sur une si petite momie. Jusqu'à satiété, le grand amour, elle dit, ne renonce pas, et autour d'elle, les autres en choeur, l'humanité au féminin, chantante, sa délicatesse stratégique, éloigne, le revers de la main, paroi fleurie, muraille entre deux peaux. Or, ça peut mal finir, *prématurément*, on le sait, ça sent déjà le roussi quand stoppe votre cœur. Usure, accident, choix, échappatoire ? Vous vous êtes aventuré au-delà, la terre fauve, le plus que désir, l'avenir à vif, votre corps redoutable d'amoureux faisant face au froid, à la désolation, n'avez pas rebroussé chemin, votre incompétence au creux de la cage, vous êtes lancé droit devant, votre mystère de plomb, votre joie mangée — par qui ? —, vous êtes enfoncé, avez choisi le bord des rêveurs, l'outrance, l'autre ciel, l'extrême fond de la rivière.

Le siècle de Saint-Denys-Garneau II

Qu'y a-t-il après, au bout de février ? L'étonnement de l'eau comme un aimant, l'exil final de la passion, une infinité de fenêtres, du réel accessible et prodigieux. Quoi d'autre ? Trop de mémoire ici dans les cerveaux qui s'enfoncent. L'espoir ne prend pas dans cet espace liquide dépouillé de mensonge, ce chavirant infini avec surcroît d'étoiles, où forcément le ciel se confond avec la mort.

Sept ans avant vous, l'autre aussi, le poète appris par cœur « a décidé de faire la nuit / pour sa part / De lâcher la nuit sur la terre / Quand on sait ce que c'est / Quelle bête c'est / Quand on a connu quel désert / Elle fait à nos yeux sur son passage ». Chez vous les hommes survivent mal, on dirait, au foisonnement comme à la désertification.

Le samedi 22 octobre

20h. Retour du Musée des beaux-arts. Sur l'un des murs, des dizaines de tableaux. Or, une image persiste : Le Nouveau-né *de Georges de La Tour. Brillance pure mais sans innocence — derrière la main levée, l'écran qui ne protège pas la figure de l'enfant. / Qu'y a-t-il plus loin, accolé à la géométrie et aux pigments vainement paisibles, au-delà de l'irrésistible, à la frontière de deux violences, celle de l'ombre, celle de l'éclat ? / « Dans une ville étrangère (histoires de regards) », 1989. J'y notais ceci à la manière d'une exigence : « Écrire. Séjourner. Détourner le cours de l'enfance. » / L'unanimité des chants, des regards, m'en éloigner. Inventer en archéologue fouillant, strate par strate, le terrain miné de l'intime. Ce qu'il me faut arriver à développer dans le texte — qui me résiste comme les autres — sous forme d'entretien avec P. / L'écriture et la vie, et ce qu'on en fait, ce que son utopie en fait, contre la mort. / Une Sisyphe, je veux être, qui choisit de rouler ses mots jusqu'en haut du rocher, sachant qu'ils retomberont, que rien ne sera* heureusement *réglé ; une Sisyphe qui choisit de lutter contre l'impossible, de s'acharner à trouver du sens, même mouvant, afin de ne pas se laisser emporter par la vague de fond, tout en reconnaissant que l'entreprise de vivre, d'aimer, de souffrir, de créer, est fatalement vouée à l'éphémère. Vouée au vide. / La diagonale de lumière du Georges de La Tour a fui, on dirait.*

La dernière cigarette

Marche votre fille et près d'elle, à l'entrée de la station Anatole-France, passe un parfum de Marlboro. Trois ans après sa toute dernière. Sept ans après l'annonce *par milliers foncent les petits crabes* faite à Lou. Viennent d'où ? On ne sait pas. On cherche. L'organisme intrigant, on le fouille, l'inspecte, la barbarie du peigne fin, le matraque d'ondes fortes. On finira bien par trouver, plus souvent aujourd'hui qu'avant, l'entonnoir par où fuit la vie. Malgré la sentence irrévocable. Le flair, c'est fou. Quoi ? S'agitent les crabes, se défont les poumons, et le corps divisé, des cheveux aux chevilles, sans défense, l'échafaudage s'écroule. Tout s'en va. Sauf le mal. Sauf la faute. Lou coupable. Morte, quelques semaines plus tard. Entrée vivante et blonde dans la vie de votre fille, un mois après votre respiration ultime. Avaient dix ans à deux un dimanche de juin. Ne jouaient pas encore avec les allumettes. Pas encore attirées par l'interdit. Pas encore criminelles. Marche la marathonienne. Un peu plus de trois ans après l'opération de l'autre, Li, qui ne fume plus depuis l'instant radical. Le verdict. Ouvrir donc, couper, scier, palper l'infect objet, l'extirper de la poitrine, par prestidigitation le faire disparaître, s'assurer que tout est en ordre, puis recoudre.

La poitrine, comme s'il s'agissait d'un tiroir.

Le dimanche 23 octobre

Fin de Magnus, *nouveau roman de Sylvie Germain. À l'arrivée du frère Jean, « le petit homme en robe de bure terreuse », je décroche. Me rends toutefois jusqu'à la dernière page, consternée. / Insupportable, l'idée que ce livre, qui m'a à ce point éblouie, ébranlée, m'entraîne ainsi du côté de la fable dérisoire — l'athée en moi ne cédant pas, décidée coûte que coûte à s'insurger contre l'autorité janséniste et sournoise de sa mère. N'ai rien à faire de cette réinstallation de la nuit, de ce retour terrorisant du divin, sorte de raclement qui laisse un goût de cendres. / Insupportables, « l'Ange du Mystère », « l'Ange du Verbe », « l'Évangéliste », « le don de Dieu », « le délicat labyrinthe des chemins de l'âme s'acheminant vers Dieu », etc. / Insupportable, ce Dieu enrobé des formules et des sentiments de bois — comme on le dit de la langue — de ma mère. Le gâchis. / Cependant ceci, à la page 257, d'une lucidité sans dieu :*

> Il se contenterait de voir enfin levé le secret plus modeste de sa petite enfance, et, bien plus encore, celui de l'immense nulle part où s'effacent les morts.

Certains mots — un goût de cendres *— s'obstinent. Orphelin, le divin lui aussi, soudé dans mon enfance aux lèvres carmin des femmes.*

Qu'est-elle venue faire ici

Mon père, elle dit, pourquoi ? Jamais votre silhouette ni vos mains tendues, et des siècles entre vous deux, sans appel. Un tel creux, pourquoi ? La combinaison des faits et des lieux aujourd'hui l'étonne. La Bretagne, la Normandie, et l'entre-deux, les Pays de la Loire et la Sarthe, Malicorne-sur-Sarthe — église du XIe, gisant du XVe, château du XVIIe, chapelle de Chiloup, faïenceries, moulins, etc. —, autrefois Saint-Sylvestre-de-Malicorne, espace anonyme, entre Angers et Le Mans. Quelque part près de La Flèche d'où une centaine d'hommes, quelques femmes égarées parmi eux, dit-on, qui doivent sauver la colonie — danger, désarroi, désœuvrement, démon, que fuient-ils ? quel mal ? — s'embarquent pour la Nouvelle-France. 1653. Menacée d'extinction pour la première fois. Jeune encore, n'a rien vu, ne perd rien pour attendre. Il y neige éperdument à feu et à sang. Dans *Les relations* des Jésuites, hommes et femmes : « tous savants dans les métiers qu'ils professent, et tous gens de cœur pour la guerre ».

Cœur, dès l'origine associé à vous, descendant de la Grande Recrue, de Pierre Desautels dit LaPointe. Né le 4 du 4e mois comme elle, l'insensé défricheur — *colonisateur*, bien que le mot n'existe pas encore —, quatre siècles plus tôt. Drôle de hasard pour celle que la recherche généalogique attachée au père, père du père ou de la mère et de leurs aïeux, à cette *fratrie* des pères innombrables, sans fin, a sans cesse rebutée !

Saint-Barthélemy, le lundi 24 octobre

Hier, de Rennes à Marne-la-Vallée en train, puis en voiture avec l'amie F. jusqu'à Saint-B. Dimanche interminable sur les routes de France après une matinée où je m'agite. Marche accélérée au bord du canal, envoi de courriels, ménage, lessive, bagages, hésitations débilitantes. Surtout ne rien oublier. Or, la vie m'échappe, se fissure dedans dehors. Le cœur, la tête, les mains gauches. / Dans le train, des enfants blonds. Leurs rires, leurs éclats, leur chahut, leur concentration aussi, saisissante par moments, sur le film que je ne vois pas, qui défile sur l'écran de leur ordinateur. Le plus jeune, trois ans peut-être, sa bouche entrouverte, ses questions rares qui restent en suspens, ses yeux vastes, où passe parfois la peur, sa main gauche sur l'épaule droite de son frère, six ans peut-être. Leur père devant eux lit ou échange quelques phrases avec sa voisine, une étrangère. Cet homme m'attendrit. / La fascination qu'exercent sur moi les enfants blonds et leur père tandis que je travaille sur mon portable, essayant tant bien que mal de poursuivre l'entretien avec P., ajouté à mon état de surexcitation du matin, tout cela me donne le tournis. / Derrière, une autre version des faits. La mémoire, encore elle, dangereuse — comme si je n'étais que ça — pose d'autres visages sur ces trois têtes. En alternance, de face ou de profil, mon fils, son père, le mien. Et moi à distance, avec mon émoi, mon remords, mes images en boucle de mauvaise mère, de mauvaise fille, de mauvaise femme, et mon besoin de tout raturer, de repartir à zéro. / La douceur du jardin, de l'étang, du chemin où je refais le monde, le petit et le grand, ce lundi matin, avant notre départ pour Villemomble chez G. et la première répétition de notre spectacle « pour deux voix et contrebasse ».

Une forêt dense

Car, quoi qu'on en dise, au féminin, la généalogie sans cesse hachurée relève vite de l'infaisable. On est vite confronté au bris, à la rupture, et on finit par s'y perdre, par laisser tomber. On aura rué pour rien dans les brancards. Or, les temps changent. Autrefois une Brousseau, *madame Richard Desautels*, même veuve, votre femme, la mère de votre fille, y tient, s'y accroche, *madame Richard Desautels*, la sauve à ses yeux de l'indifférence le sceau apposé chaque mois dans le bulletin de l'enfant, n'est pas célibataire, n'a pas toujours été seule, choisie, élue, élue par vous, *madame Richard Desautels*. Et avant elle, autrefois une Beaudry, votre belle-mère, Alice, enfouie jusqu'à sa fin sous une Brousseau. Et plus loin encore, l'arrière-grand-mère, qui ? Et les autres, les ascendantes, toutes, n'importe laquelle, le choix abonde, d'où ? D'un peu de sang breton, normand, irlandais, huron peut-être ? De quels ailleurs jamais franchement répertoriés viennent-elles ? Leurs noms, sans lien, flottent dans les arbres des hommes. Avant de s'éclipser. Ni vu ni connu. Des innommées, les mères, on dirait, même la vôtre, Alice — comme l'autre, la maternelle — mais Alice qui au juste ? En miettes, son histoire. La vôtre et ses propres aïeules inhumées ici et là, à l'écart de chez elles de préférence, côté hommes. Votre fille refuse de se fondre dans une foule de femmes fantômes, rayées, pudiques, refoulées. Tiendrait tête à l'univers, s'il le fallait.

Ni vu ni connu. Sauf certaines religieuses — ni mères ni putains donc — qui ont marqué le coup, à chacune plus tard son étoile, se comptent sur les doigts d'une main, et parmi elles Marguerite Bourgeois attrapant de justesse le Saint-Nicolas de Nantes.

Entre Marne-la-Vallée et Rennes, le jeudi 27 octobre

Dans le train qui me ramène vers la Villa après le séjour à Saint-B. Suis encore au bord des larmes – comme l'amie F. – après la soirée d'hier qui avait pour thème L'anniversaire de B. / *Soir sombre. L'amitié sur un fil. L'ébranlement imprévu. Tombe. Ne tombe pas. Éperdument se balance. / Le mot* girolle. *Et nos tons montent, se cognent en montant, et nos corps maladroits basculent, et notre émotion côtoie dangereusement le vide. / Notre première catastrophe. Une histoire de langue jamais réglée. Pour l'une, pour l'autre, et entre nous. Deux continents. Douleur unique. / Mais aussi, en ce qui me concerne, un projet d'écriture en territoire étranger, qui (me) pose sans arrêt la question de la langue, maternelle ou paternelle, celle de l'autre et la mienne. / Fatigue. À l'étroit dans ma langue acquise. Inconfortable. / La fille de l'Est, comme chez Michel Tremblay, aujourd'hui encore balance entre* cierge *et* lampion, *entre* bougie *et* chandelle. / *«Même devenue grande, une centaine de décalages horaires plus tard, toujours fille de l'Est. Marquée. Fille du Plateau. Le sait, le sent. Voyez la faille, le fond, l'écho béant entre deux gestes appris, polis. Ça lui sort de partout.» C'est dans l'abécédaire. / La fille de l'Est crie ou pleure, trépigne, et son cœur se fracasse quand sa langue acquise, trop tard, bute contre le piège, le premier mot venu. L'enfance reparaît, fait tache. / Loin de chez elle, devenue grande, toujours fille de l'Est, tourmentée, et devant le brûlant de la question... vie ou mort... ou rien... la fatalité, le pur néant, l'abîme à chaque fois.*

Les grandes marées

Faux départ. Mauvais voyage de nuit, improvisé. Intempéries, faim, soif, scorbut, contagions et désillusions. Votre existence et la sienne, l'avenir sous un ciel distant, ça commence comme ça, au fond d'une cale où ça se déglingue, ça moisit, ça crève vite. À peine le temps de désespérer. Héroïques, problématiques, les virtuels colons-soldats-défricheurs. Le Saint-Nicolas, sa coque pourrie qui prend l'eau, n'a pas fait la traversée. Un premier naufrage qui aurait pu être le dernier, et l'on aurait décrété la fin de la colonie. Rien de sérieux. Rien de plus — mais vous ne connaissiez pas Voltaire — que la chute libre de « quelques arpents de neige ». Or, on ne cède pas, les passagers, on les débarque sur une île, près de Saint-Nazaire, on tente de redonner forme et vie au vaisseau. Détenus en attendant, jusqu'au 20 juillet, les *gens de cœur*. Pour éviter qu'ils désertent. Deux mois d'océan plus tard, exsangues, corps et âme rompus, cassés, le Saint-Nicolas s'étant échoué, ayant sombré au lieu-dit du moulin Saint-Denis, devant être brûlé, c'est en canots que s'achève le voyage entre Québec et Ville-Marie.

L'ancêtre parmi eux, plus robuste que vous, vivra vieux, aura deux femmes, enterrera la première, Marie Remy. Qui lui aura donné deux fils, Joseph et Gabriel. Gabriel orphelin à cinq ans. Comme elle. Issu de l'un des deux, vous, duquel ?, elle ne fera pas d'enquête.

Rennes, le samedi 29 octobre

Clichy-sous-Bois, dans les journaux, à la radio et jusque dans les rues de Rennes. / À Clichy-sous-Bois, dans la nuit du 28, plusieurs jeunes attaquent pompiers, policiers, édifices publics, et une vingtaine de voitures sont incendiées, suite à la mort de deux ados fuyant la police, de deux ados électrocutés dans un transformateur électrique. / Étrange de relire ce matin, dans ce contexte, mes derniers mots du 27 : « et devant le brûlant de la question... vie ou mort... ou rien... la fatalité, le pur néant, l'abîme à chaque fois ». / Étranges aussi l'ensemble de la page, et d'une manière spécifique, ces « Deux continents », cette « Douleur unique », « en territoire étranger », cette « question de la langue, maternelle ou paternelle, celle de l'autre et la mienne ». / Et de l'extrême violence éclate à Monfermeil, la nuit dernière, et d'autres voitures brûlent, et une balle atteint un fourgon de police. / Je me regarde vivre ici, mal à l'aise dans cet ample miracle, et le mot luxe *s'impose de nouveau. Luxe : confort, liberté et plaisir. / Luxe. Ici, on me paie pour penser, pour donner envie de penser, soi et l'autre, et d'imaginer autrement la suite. Je vis dans une profusion, universellement impartagée. / Luxe. Me répéter que je dois m'obstiner à imaginer autrement la suite. Qu'on doit être de plus en plus nombreux à s'obstiner.*

Un ton d'ultimatum

Absent, errant, fugitif — est-ce que mourir, c'est fuir ? —, volatilisé, de toute manière inconnu. Trop vite, trop loin, trop haut. Ne faites pas partie de son air ni de son vocabulaire. Le champ de son regard inoccupé devant votre image de revenant. Les années 50. Autour, les autres ont un père discret qui souvent s'esquive. Ne savent pas où il va ni quand il reviendra, les autres, et n'en font pas tout un plat. Les pères, c'est comme ça, ça va et vient, ça part loin, longtemps, et ça revient, et *mon père* dans leur bouche ne crée nulle surprise. Y ont droit, les autres, n'usurpent rien. Par-ci par-là *mon père*, et on les croit sur parole. Peut les faire souffrir, hurler, rire, quand tôt ou tard il repasse, entre deux éternités. Les autres ne sont pas — adjectif éprouvé au féminin — *orphelines*. N'ont pas à supporter un excédent de mère, de remontrance, de ciel, d'effroi, de faute, de haute surveillance. Votre femme, elle, dit *ton père*, dit *papa*, dit *t'aime*, *t'entend*, *te voit*, *t'épie*, *à la trace*, *à l'odeur*, *où que tu ailles*, *quoi que tu fasses*, *que tu penses*, et ça gicle partout. À l'écouter on vous croirait changé en dieu.

Le lundi 31 octobre

Au téléphone, F. et moi, à plusieurs reprises depuis jeudi. Nos voix graves nous rapprochent. Elles ont le sens de la blessure et du réconfort. / F. et moi, le soir du drame, face à face, prises par surprise, emportées sans raison manifeste, notre sensibilité plus brusque que d'habitude, si près du naufrage, que nous n'avons pas vu avancer, aux prises avec cette « matière noire » — expression que je lui emprunte — jaillie de l'enfance et de ses conséquences, qui entache tout, et propage le pire. / F. et moi. Jumelles nées à distance. Un soir à la collégiale de Champeaux — j'en ai parlé dans « Gémellité » — nous entendons trois Leçons de ténèbres *de Delalande, et dans la voix de la soprano — « Ô vous tous qui passez ici / regardez et voyez / s'il est une douleur pareille à ma douleur » —, des petits riens troublants oscillent entre mélancolie et présence. / F. et moi tenant dans nos mains :* voir, grandir, désirer, résister, *des verbes lucides qui déjouent silence et mort, et leur noirceur toxique. / Les mots de F. Un autre octobre, celui de 1993, dans* Le carré du ciel *:*

> Il arrive qu'on ne veuille pas trouver la paix, qu'on abrite en soi, plus ou moins consciemment, un mal-être auquel on tient. Manière de solidarité avec ce qui est blessé de par le monde. Révolte vis-à-vis de la condition qui nous est faite, à nous humains. Force de refus, dissidence. On suspecte alors le bonheur comme une figure possible de la trahison.

F. et moi. Deux enfants inconsolables, restées inconsolées, que le poème parfois illumine.

Le membre fantôme

Les autres assument au quotidien — le prix à payer — leur banalité familiale tandis que, de son côté, l'enfant gauchère au père manquant acquiert imperceptiblement, face à la moindre mimique de pitié venue du dehors, un peu plus d'intérêt à ses propres yeux. Qu'importe que la terre s'appauvrisse, qu'à perte de vue l'architecture du monde s'affaisse. Pas comme les autres, pas d'ici, et sa différence, l'enfant amputée s'en sert, la joue, force parfois la note. Avec talent, le fond du gouffre et la sensation douloureuse. Le membre fantôme heureux, elle a. Dans les faits, vous n'avez pas été. Ni ceci ni cela. Point. Rien. Et la tragédie de l'absence et du manque n'a pas eu lieu. Le panorama s'offre, joliment nu, et la vie remue et se reproduit, homogène. La parthénogenèse, vous connaissez ? Avant la nuit du six, vous n'aviez pas vraiment d'existence, n'aviez jamais rôdé dans ses parages, et elle n'avait jamais pensé prononcer ni tracer *mon père, mon père* d'ordinaire remplacé, à l'oral comme à l'écrit, par *la veuve* ou *l'orpheline*. Aucun souvenir n'a d'importance, et de toute évidence vous n'y tenez que par exception le premier rôle. Et ne pleure que de voir pleurer votre femme, sa mère, qui a accaparé votre mémoire, tout pour elle, le kit de survie et de souffrance, rien pour les autres. Rien qu'une indifférence effrontée.

Le mardi 1er novembre

Hier, la mère de L. est morte. / Ça sanglote en moi — sans bien savoir sur qui ni sur quoi. Presque des cris. / Pendant la nuit, je continue d'être inconsolable. Et les somnifères sont sans effet. Alors que ça sorte. Comme les chiens qui errent, j'aboie. / Aujourd'hui, même cet appartement me blesse. Sans protection, je suis. Des yeux partout. Les chiens encore, et le sifflement du vent, et le froid, et la pluie, et cette gêne d'être ici — dans cette demeure confortable, fortifiée — face au dénuement des autres. / Me dédouaner. Distribuer aux quatre vents des euros pour ne pas sombrer. / J'y reviens, ce lieu que j'habite, qui m'habite, contrairement à ce qui se passait chez moi, petite, chez nous, « lieu de passage » continuellement. Locataires, agissons en locataires, ne nous installons nulle part, lévitons en quelque sorte, laissons chaque fois l'espace intact, dans son usure neutre, tout en y séjournant. / Submergée par la matière paternelle. En supplément, ces jours-ci : L'homme du hasard *de Yasmina Reza et* Le livre pour enfants *de Christophe Honoré. / Toujours la phrase de Handke à la manière des leitmotive :*

> Que de choses ressemblent à ce qu'on cherche quand on cherche quelque chose.

Que faire de cette substance surgie du fin fond le plus intime ? Où trouver le moteur qui lui donne de l'envergure, la rende partageable, déchiffrable pour soi, pour l'autre ? / Ce soir, sur France Inter, Rosetta Loy ne règle rien… avec son Italie douloureuse. « Mémoire intime et mémoire collective, dans votre cas, indissociables », lui ai-je écrit dans une lettre publiée en revue qu'elle n'a jamais reçue. Je poursuivais ainsi : « Voilà où, pour moi, le bât a longtemps blessé et blesse encore. »

Même sans preuve

De l'homme emprunté dans la bouche de votre femme. Une puissance tirée on ne sait d'où, de votre histoire commune, on suppose, de plus en plus archaïque — qu'elle dit, indéfiniment dira, *d'amour* —, de votre tête et de vos yeux d'errant, de votre crâne jamais chauve, de vos trente-neuf ans immortels, auréole et héroïsme impartageables, disproportionnés, mais dans une voix qui n'a rien du grain de la vôtre ni de son flou de plus en plus irréel, inutile de chercher. Votre femme et votre fille partagent une raucité, étrangère aux Desautels, quelque chose de rocailleux, d'abrupt dont elles ont su, l'une et l'autre, user, abuser. De l'homme dans sa bouche, sorte d'autorité dont elle aurait hérité, avant même votre départ, qui pourrait avoir émané de cet *ailleurs* — dès l'époque, elle vous aurait parlé de loin — déjà présent en vous, limbes ou faux firmament, de votre mort non encore annoncée, inenvisageable, en attente dans la cage, à l'angle sourd de l'organe, mais déjà inscrite, votre fille en a la certitude, l'affirme avec aplomb, sur chaque particule de votre corps. Elle, votre femme, l'infatigable fiancée, chaque nuit plus déchirée entre vivre et rêver, fuyant, s'élevant chaque nuit au-dessus de l'alcôve, hors de l'embuscade, Vierge dans un tableau de Poussin, tourmentée par le moindre vertige, le plus infime frisson, dressant un rempart de draps entre sa résistance et vous, elle éclaboussée par le seul prononcé du mot *sexe*.

Le dimanche 6 novembre

Ce matin, le long du canal, deux hommes marchent côte à côte, mains derrière le dos, tête dégarnie, grise. L'un d'eux, le ton âpre il aurait fallu, vite, tôt, contrôler l'immigration. *Allonger le pas. Les semer. / Hier, après quelque hésitation, j'opte — c'était à prévoir — pour la visite guidée du cimetière du Nord, derrière chez moi. Un paysage de conifères, de pins surtout, et de mort. Évidemment. Poreuse, je suis. Quand il y a, sur la stèle ou le monument, une urne à demi recouverte d'un voile, dit la guide, c'est que la mort a frappé quelqu'un de jeune ; une urne seule, quelqu'un de laïque ; une absence de croix, quelqu'un d'athée. Tandis que l'ocre de 17h s'insinue entre les tombes, je m'instruis, je m'intéresse à des textures, à des formes, à ce qui a des chances de durer. / Et la guerre apparaît par petites touches sur les chapelles funéraires abîmées par les bombardements. / À la fin, un groupe de Rennaises m'entraînent dans la partie récente du cimetière, où logent les monuments impressionnants des* gens du voyage, *expression que je ne connaissais pas. Accommodante.* / Sans protection, je suis, *ai-je écrit l'autre jour, à propos de mon séjour ici. Cependant dans les lettres et les courriels d'amitié,* cloître *s'impose. / Ce soir, la question : pourquoi suis-je ici, barricadée au cœur de ce doute, de cette solitude, aux prises avec cette écriture — et les spectres qu'elle charrie — que je souhaiterais plus périlleuse ? / Duras dans* Écrire.

> Il y a ça dans le livre : la solitude y est celle du monde entier. […] La solitude c'est ce sans quoi on ne fait rien. Ce sans quoi on ne regarde plus rien.

Écrire — avec mon cri *en plein centre. Me tenir au plus près de moi et du monde, de ce qui s'y joue de terrible, de souffrant, de ces saisons à la queue leu leu qui n'en finissent pas de répéter* L'été 80, *avec « le caractère même de* L'été 80 *à savoir […], celui d'un égarement dans le réel. »*

Autour de votre joie I

Une question, n'arrive pas à la chasser, à propos de l'espoir. 1950. Elle a cinq ans, et au loin l'histoire déballe ses tragédies. Curieux, inquiet, vous lisez journaux et magazines, le *Times* entre autres, votre femme, fière, l'a souvent répété, et les faits s'enchevêtrent. 1950. À quoi vous intéressez-vous ? À quoi rêvez-vous et dans quelle langue, de ce côté douillet de la planète, où on n'a pas les mains sales, où rien, ni les gens ni les éléments, ne se déchaîne ? Quel est votre espoir au juste ? Votre joie a fui. Économe. Lasse, si lasse. Où se dissimule-t-elle dans cet appartement exigu, sans style, sans rien qui soit vous, qui vous distingue des autres, parmi l'austérité du strict minimum ? Derrière quel empilement de linge blanc, votre joie ? Déjà à l'époque votre femme scrutait jusqu'au fond les plis, les peaux, les âmes, votre femme, son ordre, son goût, son sens aigu de l'hygiène. Votre cœur à l'étroit, même devant un parc, vous vivez au ras du béton et des battements dingues de votre muscle enchâssé. Au bout sud-ouest du lieu de verdure, la pointe de l'inconnu, le pays de *l'autre* où le tramway rugissant vous emmène jour après jour, où pouvoir et espoir vont de connivence.

Ce parc aujourd'hui. Et l'œil profond de votre fille, et son pas de géante, à chaque aube, et sa main gauche, telle une vrille.

Autour de votre joie II

A beau être finie, la guerre, cinq ans après, ça commence à peine à s'ébruiter. 1950. Le chat qu'on sort du sac quelques heures avant votre éclipse. Tueries, tortures, camps, barbelés, bûchers, ça grince en tous lieux, jusque chez vous, votre mère morte, votre sœur aînée disparue, réfugiée dans le Maine, happée par un Américain d'origine irlandaise, votre petit frère, orphelin fraudeur, enrôlé trop tôt, envoûté par le mot *overseas*, qui a foncé en ligne droite sur l'ennemi — de qui ? lequel ? —, revenu fêlé des *vieux pays*, et les autres refoulés dans l'ombre, boiteux, étriqués, restés sur place, vieux garçons, vieilles filles, sauf une, la cardiaque, comme votre père, comme vous, vous, votre fils né avec la guerre, votre fille, avec sa fin, dans ce pays faussement français, ça grince, mais vous n'entendez rien, vous, le spécialiste de la chaussure pour hommes, l'employé modèle de monsieur Simpson, vous, engagé parce que vous parlez sans résistance, avec hardiesse même, la langue de sa mère, de son père, parce qu'on s'enfonce encore dans la *grande noirceur*, que langue, pensée, argent, choix, joie appartiennent encore à *Simpson and Company*, âmes privilégiées qui vivent haut, en clan, à l'ouest de la ville, leur propriété à flanc de montagne, survolant les quartiers *drabes*, les existences naines, l'aléatoire, le peu, le petit.

Autour de votre joie III

Ça n'explique pas tout, ça grince autour de votre joie, c'est rugueux, mélange de nerfs, de soifs, de succions, de crocs, mais les phrases manquent, c'est historique, monument classé, sans paroles, chiches, la langue, l'analyse et ces autres choses inexplicables, les temps ne s'y prêtent pas, ça grince à l'intérieur, à gauche à droite, entre oreillettes et ventricules, le sang dur dessiné opaque, fioritures surchargées, drues au beau milieu, dans la niche, là où ça aime, se blottit, se tait unanimement, oui, ça grince, ça pourrait monter, monter votre colère, veine longue, colonne infinie, monter de l'abîme jusqu'à l'exaspération de votre bras, votre poing levé qui flamberait, île éperdue, guerrière, rouge incisif dans l'air, hurlement premier, hurlement ultime, mais à quoi bon.

Le jeudi 10 novembre

Violences, violences, violences. En Seine-Saint-Denis, en Val-de-Marne, à Lyon, à Toulouse, dans le Nord et ailleurs. Après l'annonce d'un couvre-feu, un décret sur l'état d'urgence. / Hier soir. Échanges sur l'écriture — mais aussi sur ces événements dont la douleur s'aggrave au fil des jours —, amitié et bouffe dans un bar breton, près de la place des Lices, avec F. et A., mes futurs éditeurs. Remise du manuscrit en juin, sortie du livre à l'automne. Y arriverai-je, auteure lente, tortue, quasi stérile depuis des semaines ? / Ce matin des pensées de mauvaise nuit — or il n'y a pas de livre sans nuit, écrit quelque part Duras —, et mon corps de momie, figé dans une terreur qui tient, qui ne s'est pas arrêtée avec l'aube, et la certitude qu'il y a de singulières ressemblances entre le bout du monde et le bout de soi, guettés tous deux par des dangers similaires et des stratégies : l'innocence, la distraction, la fin de l'espérance, le naufrage. / Me tenir sur mes gardes. Rester vivante, poser des gestes de résistante, mettre un peu d'ordre et de désir dans la diversité du malheur ambiant — même si cet ordre et ce désir devaient être éphémères — dans ce chaos de désaffections qui détraquent les mouvements de la tendresse. / Lu en après-midi, aux prises encore avec mes obsessions de nuit, Pas un Tombeau (suite de pensées rapides pour dire un père) *de Bernard Bretonnière, 2003. Curieuse, cette énumération de faits, de paroles, d'images mobiles d'un père vivant, à 79 ans encore apte à surprendre, à être surpris, heurté par certaines « pensées » de son fils dont la langue porte en elle le temps. Qui file, file. Le* jamais plus. */ Deux ans plus tard, est-il encore là ? / La phrase qui ne me concerne pas, je me surprends à la marmonner :*

Mon père en cinquante-quatre ans de mariage
amoureux.

Vous vous éloignez sans bruit

Vous ne dites rien à personne ni à votre femme. Vous vous livrez en douce, solitaire, aux irrégularités d'un organe viré fou. Vous lâchez prise. Cette vie, ce temps maigres, c'est si compliqué, ne les aurez pas habités pour de vrai, trop nombreux et trop pesants à l'intérieur de vous, les précipices, le fracas d'enfer qui court dans vos muscles et les âmes amies qui vous approchent, vous pénètrent, viennent juste voir, insouciantes, fouineuses, ce qu'il y a au fond, n'aurez fait que traverser ce « lieu de passage, troué par deux portes transversales, que l'on abandonne sans regret pour se sauver dans l'avenir ». Pour vous sonne faux *avenir*. Sensation détonante d'une ligne de vie qui se casse. Le chemin le plus court, c'est parfois risqué. *Avenir*. Tentez plutôt de vous échapper. Mécaniquement répondez à l'appel de la joie perdue. Vous en remettez au hasard. Fatigue et refuge en rond autour de votre joie, jouez, jouez avec le feu sans croire aux miracles, vous sauvez d'on ne sait quoi, allez on ne sait où, entre berceau et linceul, l'attrait de la haute falaise, vous penchez, sans personne pour vous retenir, vous attraper, votre équilibre précaire, basculez, vous laissez splendidement surprendre par la légèreté bleue de l'air, par votre souplesse, vous laissez avaler. Euphoriques, l'asphyxie, la noyade. Votre fin du monde.

Le mardi 15 novembre

Mon amour au téléphone : il neige à Montréal. Ici, autour de la Villa, sur les roses rouges qui ne veulent pas mourir et sur le canal, il fait gris. / Ici, mes jours sont comptés. Les rencontres-lectures vont se multipliant. Deux le 17 : l'une à la bibliothèque municipale Nord-Saint-Martin, l'autre à la Villa Beauséjour ; deux le 18 à Plélan-le-Grand, une le 22 à Brest, une le 23 à la MJC de Cleunay et deux le 1er décembre au collège Beaumont de Redon. / Avant la dernière, le 26, soirée de fin de résidence, carte blanche et spectacle d'adieu. / Le week-end dernier, F. et moi, 48 heures ensemble pour mettre au point cette soirée, avec une valse-hésitation de ma part, samedi après-midi — remplacer ou pas Une solitude exemplaire *par un extrait de* Tombeau de Lou *? Ma vie en jeu. / F. et moi heureuses, désinvoltes presque, donnant libre cours aux deux ados rêveuses qui crèchent en nous, flânant avec légèreté samedi en fin de journée dans Rennes, puis dimanche, dans Bécherel, la cité du livre que je découvre. / À 16h aujourd'hui, au café de la Paix, du cinéma : un tête-à-tête avec Antonio O. D'une confidence à l'autre, un tas de coïncidences, malgré d'incalculables différences. Ne peux m'empêcher d'y revenir : dans son existence comme dans celle de ma mère, souffrance et grand amour. Et moi ? Me glisse entre deux orphelines : l'une a 6 ans, l'autre, 4. Or, ma mère, elle, ne s'est pas tue, a plutôt cherché à nous engloutir — elle avec nous, mon frère et moi — dans un océan de paroles.*

Elle écrit, elle invente I

Tenue à distance, ne sait pas, rien, votre fille, hors l'arrêt officiel de votre cœur un six nuit, mais tout bonnement prend ce risque, se dégage du nœud, s'échappe, imagine seulement, imagine, n'y était pas, n'a consulté personne, le silence de cloître de la famille ou pas, aucun témoin, aucun suspect, ni journaux ni photos d'archives. Que sa main gauche, telle une vrille, une vraie, celle de *Games*, traversant la toiture de la petite maison en acier noir, posée au sol ; vrille perçant l'intime, crevant l'abcès, appuyée contre un mur, parallèle au fusil, un vrai, sa crosse au sol, elle aussi, passant près de la petite maison, la menaçant – car il n'y a pas d'abri, car le monde nous met en péril –, son canon pointé vers le haut, soutenant savamment un dictionnaire.

Tout est précaire, y compris l'infini. À la portée de sa main, dans les dictionnaires, les mots que votre femme, sa mère, ne prononçait qu'à voix basse, restés confus jusqu'à sa fin, parce que ce fait, nommer lucidement le monde, l'épouvantait.

Elle écrit, elle invente II

Suppose le réel à sa façon, votre solitude indomptable, une toute-puissance en vous sans remède, suppose votre inaptitude à vous soumettre, à vous ajuster au mesquin, à la fossilisation quotidienne de votre espérance, à cette invasion de monstres alentour, à tout ce qui chiale, s'apitoie, s'ennuie, s'encroûte alentour, dans ce pays récent, vous fait vous éloigner en douce et, d'hypothèse en hypothèse, vous projette dans le néant, par grandeur ou suffocation, peu importe, comme ça, sans conditionnel, soudain vous rêve, elle, votre fille, véhémente, en impossible vivant, impossible vaincu, impossible vieux, vous rêve insoumis et sublime, vous, avant la spontanéité du désastre, votre destin en accéléré, avant les corbeaux sur le mont Royal en cercle, qui tournoient, avant qu'une rumeur coure sur vous, votre couple, votre cœur cinglé, votre détresse, vous, petit bonhomme d'un autre siècle, votre terre moyenâgeuse, votre famille sans belles manières devant votre femme, d'un autre monde, plus tard, tout bas, faisant des fla-fla, de la classe jusqu'au bout des ongles, replaçant à chaque repas vos couteau-fourchette, comme il faut, comme ça, oui, comme ça, autrement, ne sont pas des rames, elle dit, pèse ses mots, et change votre langue, en corrige les sons dans votre bouche, et l'accent, cette traînée d'enfance rustre, qui l'indispose, la fouille, la cisèle, votre bouche, jusqu'à l'arrière-gorge, avant, bien avant, d'où votre fille est exclue, arrivée trop tard, à peine saisi, capté votre ultime visage d'homme sur deux ou trois photos jaunies.

Déjà ailleurs I

«Quand il n'y avait pas de photos, dit Alexa, on ne pouvait pas avoir la preuve que ses propres parents avaient commencé leur vie comme enfants. On devait les croire.» Vous comme les autres sur parole, enfant sans trace, croix de bois, croix de fer, dites, en avez-vous déjà été un quelque part? Personne ne lui a raconté quoi que ce fût, jamais, ni vos frères ni aucune femme, comme si hors propos vous, garçon petit de la campagne, hurlant, rampant, puis grandissant, œil toqué bleu, bonnet rond et bretelles, quatre ans en 1914, vous dans une histoire d'avant les guerres, grandes, avec tranchées et chars d'assaut, mondiales mais hors de chez vous, de votre portée, à distance, sur ce continent vieux, l'ici maintenant de votre fille, l'ici autrefois de Pierre, l'aïeul énigmatique, vous sans mère, vous, New York 1936, préparant vos années restantes, votre existence à la hâte, l'intuitionnant ou pas, répétant *work, labor, bridge, freedom*, vous dans une histoire d'avant vos fiançailles, d'avant votre douteux début de grand amour chez les papa-maman de la mariée, à l'excès dévouée, votre femme, réclamant, exigeant, épuisée, sa mère sourde, sa mère livide, archivieille à cinquante ans, les canapés de velours, l'écru des dentelles, les tâches et les tablées journalières, et les couloirs que votre femme arpente la nuit, et leurs murs poreux, d'où pourraient sortir des bras qui l'enserreraient par surprise, et vous, vous distrait, si peu concerné, fourvoyé dans cet appartement interminable, déjà ailleurs, fomentant votre chute...

Le dimanche 20 novembre

Dimanche bleu dans la tranquillité d'une ville que je parcours, radieuse. Un automne doux qui semble se poursuivre à l'insu du monde. / Depuis trois jours, la France a retrouvé sa vie normale, dit-on. / Depuis trois jours, comme prévu, le mouvement de ma vie rennaise s'est précipité. Fortes et émouvantes rencontres des élèves de N., à la bibliothèque, des hommes du groupe Espoir 35 de M., à la Villa. Rendez-vous bellement exigeants mais aux exigences parfois opposées. Deux univers, l'un plus menacé que l'autre. / Or, des deux côtés, comme s'il n'y avait que ça par les temps qui courent, la question de la douleur, et peu importe les variations de ton, de sexe, d'âge, de disponibilité, la douleur d'une bouche à l'autre, d'un endroit à l'autre. / Mercredi, 18h, heure magique. Vernissage et visite guidée de l'expo Fin de J.-C. *au Centre d'Art et d'Essai de l'université, métamorphosé en garage souterrain. Quelques voitures apparemment neuves y sont stationnées. Au fond, un vélo renversé, impeccable et blanc, dont la roue avant tourne, tourne, sort de l'ombre.* Fin. *Comme au cinéma. Comme dans n'importe quel récit.* Fin. *Et la terre continue de tourner. / Sur la table de la salle à manger, placée devant la bibliothèque désormais encombrée, l'odeur des amaryllis que ma petite ange, venue prendre l'apéro, m'a offertes hier. / Après, soirée de complicité à la Villa d'Este où nos phrases se sont enroulées autour de la vie, de la blessure, de l'art. Obsessives. Entêtées. Créer. Insérer de la pensée, un projet dans l'angle noir de la joie. / E. vient tout juste de quitter l'appartement. Autre apéro, autre douceur. Paroles lentes posées sur du bon silence. Une fois de plus, réalité et fiction, parce que tout se ramasse là, de la solitude à la violence, à la liberté, à la passion, à l'engagement, à la maladie, à la mort.* Désir et sens *dit E. avant de reprendre la route.*

Déjà ailleurs II

Peu vous importe ce qui s'en vient, on le dit, encore la guerre, quelque chose se lève là-bas, plus haut que le ton, que vous ne saisissez pas, la deuxième grande un jour, radicale, sur tous les fronts, vous en sauverez, ne ferez pas la traversée, n'irez pas de l'autre côté exploser dans ce fouillis, n'irez pas éparpiller vos dernières saisons, pas périr pour l'Angleterre, malgré vous épargné de ce bordel, de la conscription de 1942, vos bras chargés, votre père veuf, vos frères démunis, vos soeurs, votre femme, votre fils à peine là, vos pieds impropres aux avancées militaires, malgré votre silhouette athlétique, non, n'irez pas, vous en tirez indemne, restez à l'écart, hors de l'histoire majuscule, d'avant l'autre, la modeste, la vôtre ensemble avec votre fille d'avril, née juste avant l'armistice, la vôtre, histoire sans trace, est-ce possible ?, brumeuse, qui a si peu de poids, vous déjà ailleurs, votre être miné, prêt à sauter, vous sauvant de votre existence comme de la guerre.

Le mardi 22 novembre

13h. Départ pour Brest deux fois retardé à cause, entre autres, de la fermeture d'Avis à l'heure du lunch. J'ouvre le cahier noir... en attendant l'arrivée de C. / Drôle de matinée qui me permet, après la correspondance quotidienne et la préparation du sac de voyage, de prendre mon temps mais aussi de le perdre. Le hic rattaché à l'attente : meubler le temps dont on ne connaît pas la durée avec une activité qu'on peut interrompre à n'importe quel moment, qui n'engage pas donc. / Petite note, en attendant : revenir plus tard sur l'émission consacrée à Cixous, dimanche, sur France Culture. L'évocation du père, le bruit incessant de l'eau, et la phrase que j'invente sans doute, qui s'est imposée pendant ou immédiatement après l'émission dire je vous aime pour me l'entendre dire. / *Père de langue, comme on dirait de béton ou de bronze. Père monument. / Deuxième note : revenir un jour sur le père et l'eau, sur l'enfant de quatre ans, mêlée à la rumeur de l'eau, que j'ai été, de justesse sauvée de la noyade par son père, revenir sur lui, sur moi, sur ce corps à corps père, fille, sur la* Nageuse *de l'abécédaire, celle que je suis devenue, celle qui a dû apprendre à nager ne pouvant plus compter sur personne, mais continûment prise entre mille remous, encore attirée par le fond, le sait, pourrait céder un jour à l'euphorie de la descente, à sa lenteur, à la superbe mobilité des bras et des jambes qui se noient... à cause de qui ? de quoi ? L'histoire inachevée. Un ventre manque à l'appel. Et le surcroît de chair maternelle ne remplit pas le creux. / Troisième note : revenir sur* Notes, *l'estampe — avec au centre, à peine décalé vers la gauche, un petit cœur inversé, maladroit, taché de rose — de Betty Goodwin.*

À la manière de l'Ange dans *Théorème* de Pasolini

Imagine, imagine vaste sous le petit, votre fille, du prodigieux, un événement qui déplace la noirceur des choses, le couloir qui s'ouvre par exemple, gant de magicien avec vices et vertus, excentricité improvisée, un peu moins de statues et d'encens, c'est libre et cependant encombré, ça s'amasse, puis ça s'étend, se multiplie, la haute tension du désir, ça prend de l'envergure, ça tourbillonne au fond des chairs, de la discrétion et du secret autour des murmures, encore en noir et blanc, le réel, la fiction, peu importe, vous entrez en scène, côté cour, auréolé, du même coup l'Ange, François Paradis, Survenant, éveilleur d'espérance, ne faites que passer, dérangez le clos, l'immobile, les nuits vacantes avec portes cadenassées, version aseptisée de l'espoir, l'attirez dans la forêt, votre femme, entre Voie lactée et herbes hautes, magnétisée, et ses doigts peints grenat se délient, errent impudiquement sur votre nuque, où le col de votre chemise bâille, ses ongles lents s'allongent, s'aventurent loin, sans repères, descendent, lascifs, confondent chérubins et démons, ses doigts, comme s'il y avait urgence, appelés par vous, qui chassez hors d'elle et de sa portée sa trop patiente agonie, et votre femme vivante vous sourit, bouge, touche à tout, caresse tout, ses hanches et les vôtres pêle-mêle, ses ongles griffes, ongles crocs, aspire désormais à vivre immense, désormais à se battre contre ses monstres, et l'Ange qui ne faisait que passer passe, prend le large, et votre femme sortie de l'ombre, délestée, vêtue tango, désormais disponible.

Le vendredi 25 novembre

Traversée du Finistère en voiture avec mon ange ce mardi. Après la lecture, devant une douzaine de personnes, au Centre d'art Passerelle et un repas alsacien, avec A., G. et C., une nuit près de la gare de Brest et du port. / Au retour, libres et joyeuses, mon ange et moi faisons l'école buissonnière. Morlaix, Saint-Thégonnec — exceptionnels, le chœur de l'église, l'enclos paroissial et son calvaire élevé en 1610 —, Locquirec, baie de Lannion, où C. et F. rêvent d'une maison un jour. Y avons vu la mer de près — les pupilles inoubliables de C. — et pris un déjeuner dans une clarté de jeune automne tout en feuilles et en fleurs. Décembre ne se rendra pas jusqu'ici. / Or, il neige fort sur Rennes aujourd'hui tandis que je me promène de la place des Lices à la rue Vasselot, à la piscine Saint-Georges — pour les mosaïques d'Odorico — et jusqu'au jardin du Thabor avec J. et E., venus de Paris pour un peu de Bretagne, d'amitié et Mémoires présentes, *demain soir sur la Péniche Spectacle. / Au jardin, je les abandonne, doigts et orteils gelés, transie, inhabituée au froid. Nous nous retrouverons chez moi pour le dîner. / Après l'éventré de la place Sainte-Anne, dimanche dernier, une noyée. Le cadavre d'une vieille dame a été retrouvé dans le canal devant la Villa. / J.-L. et C., leur comportement bizarre à mon retour de la ville, hier. Le soir tombe, leur silence est trouble, leurs mains trop actives, leurs yeux fuyants, susceptibles de créer le pire malentendu — que se passe-t-il ? que s'est-il passé ? Et hop ! mon inquiétude tend l'oreille. / N'ont pas voulu m'effrayer. L'aveu de C. tout à l'heure. Taire la menace. / Vendredi et samedi, mes dernières nuits de femme seule. Mon amour — celui qui permet d'espérer l'aube supplémentaire — s'en vient. Montréal-Paris, Paris-Rennes. / Mélancolie subite et paradoxale. Dimanche chez-moi amorcera sa chute. Le 4, je refermerai les trois portes derrière moi. Une dernière fois.*

Et votre fille, la nuit I

Incommensurable. L'univers en grande confusion, pour elle aussi. Ses rêves endormis, éveillés. Sa colossale disponibilité. D'avril, du quatre, comme Duras. Avant. N'y étiez pas, nulle part de cette façon dans son histoire, jusqu'à ce que, de nouveau entre ses mains, *La maladie de la mort*. « Elle sourit, elle dit que c'est la première fois, qu'elle ne savait pas avant de vous rencontrer que la mort pouvait se vivre. » Sourit aussi, votre fille, pense *j'ai une poitrine faite pour ça : la mort n'a pas cessé d'y palpiter*. Résonnent autrement les phrases hors contexte, dépaysées, et les frères, les fils, les amants, les pères s'accumulent — *papa* jamais au centre de sa bouche —, et leurs silhouettes se soulèvent, celles de quelques femmes aussi, se rassemblent en cercle, et la sienne au milieu, c'est stupéfiant, la sienne tout ce temps accolée à la vôtre, sa fièvre liée à la vôtre, parmi tant de figures ardentes qui s'entremêlent.

N'a jamais pensé à Duras en orpheline de cinq ans. L'a sans doute refusée, cette pensée. Duras décidée, dangereuse, qui sait. Son avis sur tout. Précoce et infaillible. A voulu la tenir à distance de sa propre vocation d'orpheline. À distance de vous.

Et votre fille, la nuit II

De plus en plus souvent, un corps, plusieurs, et elle ne dit oui qu'à moitié, côté ténèbres, les veut, les prend, un par un ou tous ensemble, ou se laisse prendre par un, par tous à répétition, à l'infini, qu'elle frôle, embrasse, empoigne, qui… rien, la tête tourne, fait tourner, s'arrête à temps, s'arrête un peu, librement balance, flotte, flotte, nage entre deux eaux, deux chairs, flirte, siffle, provoque, soupèse et quoi ? reprend ses esprits, son souffle, furieusement l'ordre et le désordre, la confusion des sexes, l'image d'une autre volupté debout en elle, ensemble, mais son ventre féminin, plus tard, beaucoup plus tard démasqué, pourrait vouloir autre chose, n'importe quoi, se vendre au premier venu. Qu'à moitié. Toujours.

Sans savoir — sans jamais arriver à faire le lien entre elle et vous — qu'en disparaissant ainsi vous lui avez coupé les ailes.

Et votre fille, la nuit III

Persiste à survivre, votre femme, à aller et venir entre mort et résurrection, tandis que votre fille, au bord de l'océan, l'éloigné, le Pacifique, la recrée, sa mère, la recrée cruelle, une nuit, un événement, lequel ? ne sait pas, plus, arrogante dans le noir, grande Claudine, on dirait, son profil d'ogresse sur le mur, son bras démesuré actionnant un mécanisme, poulies et courroies à distance, et des couteaux ou des haches, ne sait plus, lancés rudement dans l'air, qui retombent et s'enfoncent, plutôt des haches, oui, des haches, une à une, dans le crâne d'un homme, debout là, et la grille d'une bouche d'égout se soulève, et l'homme à son tour s'y enfonce. Le temps file silencieux. Noirceur et rouille alentour. Votre femme plie bagage, votre femme referme derrière elle la porte de cette maison morne égarée au milieu de rien, dépose ses valises dans une voiture où un enfant souffrant, une dizaine d'années peut-être, installé sur la banquette arrière l'attend, geignant endormi, les attend, car est aussi intervenue discrètement dans l'image une autre enfant, petit chapeau, petit manteau de tweed avec martingale, d'une autre époque, *flash back*, on ne l'a pas entendue, la petite fille vue de dos qui a longé le haut mur, qui s'est présentée à la porte au moment où votre femme allait la refermer définitivement. À l'aube, le constat : « La bête a été délivrée. Elle a pris son galop effroyable dans le monde. Malheur à qui s'est trouvé sur son passage. »

Au café de la Paix, 17h, le dimanche 27 novembre

Après-midi manqué, glacial. Ai de nouveau abandonné J. et E., cette fois, au Parlement, la visite se prolongeant tandis que le TGV de mon amour devait entrer en gare. / Le train aura du retard et je viens de la fuir, cette gare — jusque-là poursuivie par les chiens —, réfugiée ici. / Dans l'air, comme des ballons, limbes, se noyer, vide, éperdument, abandon, chiens. *Leur mise en abîme dans les glaces murales du café. Vite, que quelqu'un me porte secours. On m'assaille, on me piège. / Une enfant rousse, assise à quelques tables de la mienne, me regarde intensément. Je finis par la voir, son sourire sur ma joue, je le lui relance. / Hier, la Bretagne dans la neige et le verglas. La résidence s'achève, le Québec me rattrape. / Hier, journée fébrile où se sont emmêlés doutes, derniers appels de Montréal, courses, achats de bouffe et de fleurs, allers et retours entre Péniche et Villa, répétition, trac, éclairage, son, éclats de rires et verres de rouge, retrac, puis spectacle. / Des gens qui avaient réservé des places se sont dégonflés. Mais ça a été, nos voix sombres unies à la gravité aérienne de la contrebasse ont porté, c'est ce qu'on a répété autour de nous. « Beaucoup de beau monde » aurait dit mon amour. / Au Piccadilly, cette nuit, parmi les rires amis, F., G. et moi nageons dans le bonheur. / Une fois de plus — l'une des dernières — les pupilles inoubliables de C.*

Cette nuit-là est un jour

Un dimanche, une fin d'après-midi de juin avec du splendide dans la lumière, et votre fille, la dévorée, la dévoreuse… prend la fuite, esquive elle-même et sa mère, et leur encombrante habitude de vous, et son organe comme le vôtre, en cage, qui s'agite, et le trop-plein de ses larmes qui accompagnent la trop splendide lumière du jour, parcourt la ville, votre fille, le front fauve, passe d'un jardin à un boulevard, à un pont, à un square, enfile les kilomètres de mémoire, revient sur ses pas, ses pensées, erre, s'efface dans la foule, puis resurgit ailleurs, en elle et au dehors, dans une avenue à poussière, à pigeons, à chimères, où forcément elle risque de se perdre, *fait la folle, ma fifille folle, y arrivera, à l'évidence y arrivera, se perdra*, dirait votre femme, sa mère, monte, monte des marches interminables, ne les compte pas, et son cœur tourne, et de palier en palier son front de démente, et la trop splendide lumière à chaque fenêtre, un coup qu'elle reçoit, une flèche contre sa cage, monte solitaire, étanche, hypnotisée par son extravagance mais déjà anéantie, au bras de quelqu'un, qui ? qui ? peu importe, n'entend rien, ne sait rien, quelqu'un, le sourire d'un autre, en effet y arrivera, l'atteindra, le haut, le large, une fois le seuil franchi, la porte verrouillée, dix-neuf heures aux cloches de Notre-Dame, c'est voulu, le lit, la hâte, l'abrupte petite mort, rouge désastre, rouge silence, s'est penchée, penchée, la scène béante, devant l'autre, le témoin, s'est laissé engloutir entre le plus loin et le plus près. Comme vous, sa joie ravagée, a basculé, a choisi l'extrême fond, la souplesse du vide.

Paris, le lundi 5 décembre

Rue Sedaine, en haut des cent deux marches, migraineuse, larmoyante, mon amour à Lyon, seule dans ce corps brisé. / Dernières semaines, derniers jours éprouvants, coupée en deux, sans cette part de moi laissée là-bas, éparpillée, émue, dans des gens et des lieux. / C. et F., et leurs petites bêtes noires. C. au milieu du cœur. / A., C. et moi, à Redon. C. et moi, dans la voiture, retour de Redon, sentant la fin venir, nous faisant d'ultimes confidences. / N. et F, et leurs amours à Dinjé, après un détour par Malicorne, grisaille et pluie. / M. et ses hommes, M. et ses jeunes ados, filles et garçons. Apaisante M. / V., son regard liquide, qui me bouleverse, son homme, ses filles. / Derniers jours pleins, denses, festifs, à chaque instant l'intelligence, l'âme, les gestes à vif. / La mémoire en état d'alerte déjà. Ne rien perdre de ce qui s'est joué depuis fin septembre, depuis Les Bruits du monde, *se joue encore ici, en moi. / Lutter à la fois contre l'oubli, et la mémoire encombrée, chaotique. / FIN en cinémascope, rue Sedaine, en haut des cent deux marches. / Lutter avec la force du souvenir, le pouvoir de la citation. Le titre de la revue* Autrement *consacrée aux deuils : « Vivre, c'est perdre » et une phrase extraite du premier texte :*

> La vie l'emporte, la joie l'emporte, et c'est ce qui distingue le deuil de la mélancolie.

Le jeudi 8 décembre

Jour de l'Immaculée Conception. Jour de l'anniversaire de ma mère. Je continue de répondre à sa demande d'ancienne vivante. Un grand cierge brûle pour elle depuis ce matin à Notre-Dame. / Semaine où je flâne. Me reprendre doucement en main. Refaire mon puzzle intérieur. De librairie en librairie, de musée en musée. / Au Luxembourg, hier, une œuvre en roux et en brun de petit format – fin des années 1860 –, La mélancolie *de Degas, et une citation de Braque, inscrite au pochoir sur l'un des murs : « J'aime la règle qui corrige l'émotion. » À apprendre par cœur. / Au musée Picasso, aujourd'hui, une centaine de dessins de l'artiste, mais particulièrement saisissant, celui-ci :* Étude pour l'homme au mouton : le mouton, Paris le 31 mars 1943 *(gouache, encre de Chine et lavis d'encre de Chine). Son oreille, son œil, sa bouche de mouton gris fer, ouverte, sa tête levée. Que de la supplication. / Aujourd'hui encore au Grand Palais,* Mélancolie, Génie et folie en Occident. *Après Goya, Delacroix, Dürer, Van Gogh, Friedrich, Penone : Mueck. / Ron Mueck, son gros homme nu (résine de polyester pigmentée sur fibre de verre), colosse assis – plus vrai mais aussi plus grand que nature – ses jambes repliées, ses coudes sur ses genoux, sa main gauche sur sa joue gauche, penseur mélancolique, appuyé seul, étonnamment solitaire, contre le mur du fond de la dernière salle. Hors du monde, on dirait. / Je pourrais passer vite, passer outre, or je reste debout, à la fois embarrassée et* maternelle, *ma détresse face à la sienne. / Plus tard, rue Sedaine, comme si l'épithète* maternelle *avait besoin d'être justifiée, me revient une expression que L. a utilisée un jour pour parler de mon travail : « langer le noir ». / « Langer le noir », l'envelopper de mots choisis avec soin, posés si possible côté lumière.*

Appendice

Revoir le père

Le 6 mai 1950, j'ai cinq ans. Cinquante-trois plus tard, jour pour jour : « Loin des repères de l'enfance, dans une chambre parisienne, remplie de livres et de cahiers, au 5e étage d'un immeuble propret, à proximité de la Seine et du firmament, une nuit, j'ai prononcé à voix haute ces deux mots : *mon père*». *Ce désir toujours*, un abécédaire, Montréal, Éditions Leméac, coll. « ici l'ailleurs », 2005.

Rennes, le lundi 3 octobre

Montréal-Paris, Paris-Rennes. J'arrive à la Villa, le jeudi 29 septembre, la veille des rencontres poétiques internationales, *Les bruits du monde*, auxquelles sept autres poètes participent : Éric Brogniet, Seyhmus Dagtekin, Ariane Dreyfus, John Giorno, Luis Mizon, Patricia Nolan et Jean-Pascal Dubost, poète en résidence d'automne 2004.

C. pour Cécile Ménard, ma petite ange gardienne.

Les nourritures terrestres. Pour « la ferveur de l'attente ». Expression qui m'a permis de tenir tête — par moments — à la pesanteur de la mémoire, parce qu'elle mettait à ma portée le présent et le futur.

Le jeudi 6 octobre

Erwann Rougé, *Paul les oiseaux*, Centre Poétique de Rochefort-sur-Loire, L'idée bleue, 2005. Ceci aussi : « On oublie   au fond on n'oublie pas / On imagine ouvrir   le pêle-mêle des mots ».

Son territoire, c'est la mélancolie

Philippe Garnier, *Mon père s'est perdu au fond du couloir*, Paris, Melville éditeur, 2005.

Refoulée loin, la question première

« à quoi servent les croix ? » Interrogation extraite de *Une solitude exemplaire*, livre d'artistes dans lequel mes textes sont associés à sept aquatintes en relief de Jacques Clerc, Crest, Éditions La Sétérée, 2004.

Martine Delvaux, Catherine Mavrikakis, *Ventriloquies*, une correspondance, Montréal, Éditions Leméac, coll. « ici l'ailleurs », 2003.

La citation est tirée de la toute fin d'une lettre de Catherine, datée du samedi 1er décembre 2001, dans laquelle on retrouve également ceci : « Je pense à la famille comme lieu du mensonge. De tous les mensonges. Je ne veux pas mentir, je ne veux pas me taire. Je refuse de me taire. On ne se tait qu'en famille, ou avec les gens que l'on prend pour les siens. Le mensonge est toujours un inceste. »

Le samedi 8 octobre

Louise Dupré, *Tout comme elle*, Montréal, Éditions Québec Amérique, coll. « Mains libres », 2006. Lu à Rennes sur manuscrit — Louise me l'a offert juste avant mon départ, et je l'ai apporté dans mes bagages comme un objet précieux —, ce texte en quatre actes, chacun composé de douze tableaux monologues, a été monté sur scène à Montréal par Brigitte Haentjens à l'Usine C, en janvier 2006, et interprété par cinquante comédiennes. Soir de beauté souvent déchirante. Cinquante mères, filles, petites-filles, même divergentes, même opposées, tiennent quelque chose — désir et douleur — de celles qui les précèdent.

En effet, à quoi, à quoi

Marina Tsvétaïeva, *L'offense lyrique et autres poèmes*, présentation, notes et texte français de Henri Deluy, Tours, Éditions Farrago, Éditions Léo Scheer, 2004.

Le dimanche 9 octobre

« Les mots de la fin », dans *Art Le Sabord*, Trois-Rivières, n° 73, mars 2006. AMA. Anne-Marie Alonzo est une écrivaine québécoise d'origine égyptienne, née à Alexandrie en 1951. Ses deux premiers titres ont été publiés à Paris, aux Éditions des Femmes : *Geste* (1979) et *Veille* (1982). Avant « la confusion, le chaos » qui nous ont éloignées —, nous avons été très liées, avons écrit deux livres ensemble, « avec mes mains et sa bouche » : *Nous en reparlerons sans doute* (1986), accompagné de photographies de Raymonde April, et *Lettres à Cassandre* (1994), une correspondance d'abord enregistrée sur cassette en 1989. *Geste*. Texte de la catastrophe à l'origine de son écriture. Au début de la post-face de sa réédition aux Éditions TROIS, en 1997, se trouve l'extrait d'un entretien qu'Anne-Marie avait accordé à Louise — oui, l'amie, l'auteure de *Tout comme elle* — dans le numéro que lui avait consacré la revue de l'Université du Québec à Montréal, *Voix et Images*, à l'hiver

1994 : « Une adolescente de quatorze ans est dans la voiture de ses parents, elle se fait frapper, se retrouve un an à l'hôpital et sera paralysée à vie. N'est-ce pas très simple à résumer ? Mais je n'avais pas envie de le raconter de cette manière. Pendant des années, je me suis interdit le fait de raconter cette histoire. Jusqu'au jour où, très timidement, j'ai jeté des mots sur le papier, comme on fait des taches d'encre. » Anne-Marie est morte le 15 mai 2005.

E. pour Emmanuel. Mon fils, « l'enfant rebelle » dont il a été question un peu plus tôt. Deux autres E. suivront, Erwann et Ernesto.

D'où venez-vous I

Je n'ai finalement pas participé à *Histoires de pères* — sous la direction de Jeanne Painchaud, Montréal, Éditions Les 400 coups, 2006. Jeanne m'a offert un premier délai, puis un second, mais j'aurais eu besoin de beaucoup de temps, beaucoup plus. Sans doute sa demande est-elle arrivée trop tôt. Parmi la belle quinzaine de textes : « Mon père et pas un autre, lui qui n'avait rien d'un père » (Hélène Pedneault), « Ce père, cet étranger » (Claudine Bertrand), « Les bonshommes » (Sylvie Massicotte), « Ubu, mon père » (Catherine Mavrikakis), « Petit père, trois couleurs » (Monique Deland).

Le jeudi 13 octobre

L'amie : Lou. Entrée dans ma vie, l'année de la mort de mon père, nous avons cinq ans. Lou, l'amie, la sœur choisie, devenue Anouk dans *La promeneuse et l'oiseau*, devenue Lou fictive dans *Ce fauve, le Bonheur* et dans *Tombeau de Lou*. Lou, l'extrême vivante, morte le 20 décembre 1998, emportée en quelques semaines par un cancer — des poumons, à l'origine — qui n'a été diagnostiqué que lorsque les métastases ont atteint les os.

Ai participé, en compagnie de l'écrivain Philippe Garnier, à l'émission *La librairie francophone*, enregistrée le mardi 12 octobre et diffusée sur France Inter, le dimanche 16.

Paul Chamberland, *Marcher dans Outremont ou ailleurs*, Montréal, VLB éditeur, 1987. À la fois poète, philosophe et essayiste, Paul est devenu anthologiste en 2004. C'est lui qui a fait le choix et la présentation de mes poèmes pour *Mémoires parallèles*, Montréal, Éditions du Noroît, coll. « Ovale ».

The Night Will Be Insistent, Selected Poems 1987-2002, traduction de Daniel Sloate, Guernica Editions, 2006.

Le dimanche 16 octobre

Valérie Rouzeau, *Pas revoir*, Chaillé-sous-les-Ormeaux, Éditions Le dé bleu, 2002 (3e édition).

Chevaigné. Une petite ville en fête autour du Québec et de mes textes pour un événement organisé par Valérie Raccapé, qui a pour titre *La promeneuse du Québec*. Et la *promeneuse* a été émue, ne s'en est pas sortie indemne.

Le lundi 17 octobre

Anne Hébert. Écrivaine québécoise d'importance, cousine de Saint-Denys-Garneau, morte le 22 janvier 2000. Sans elle, je n'écrirais pas.

Le mercredi 19 octobre

Leçons de Venise (autour de trois sculptures de Michel Goulet), Saint-Lambert, Éditions du Noroît, 1990 (1re éd.), 1993 (2e éd.). Les trois œuvres ont été présentées à la quarante-troisième Biennale de Venise, en 1988, où elles occupaient le Pavillon du Canada dans les *Giardini di Castello*. L'une d'elles, *Faction factice*, est composée, entre autres, de dix fusils, des vrais, alignés contre un mur, leurs dix canons verticaux, parallèles, pointant vers le haut. À Venise, j'avais été fascinée par leur ombre sur le mur, par les pleins et les vides, par les noirs, les gris et les blancs en alternance sur le mur. Plus tard, j'ai naïvement écrit : « Lentement j'isole le rythme musical, l'ordre sériel, syncopé, les verticales rompues, répétées, qui animent l'espace. Chaque fois, je vois l'élégance de la droite qui monte ; chaque fois l'épaississement de la forme torturée qui tend à s'éloigner, à glisser à l'horizontale. » Plus tard encore, le 6 décembre 1989, le manuscrit inachevé, stagnant, me résistant, j'ai cru que je ne le finirais jamais. Ce jour-là, un homme armé d'un fusil semi-automatique est entré à l'École polytechnique de Montréal et a tué quatorze femmes avant de s'enlever la vie. Par deux fois, dans deux salles de cours différentes, il séparera les hommes des femmes, lançant à celles-ci : « Vous êtes *une gang* de féministes. *J'haïs* les féministes. »

Le jeudi 20 octobre

Roland Barthes, *La chambre claire*, Paris, Éditions Gallimard, 1980.

Dans «La blessure», j'ai rapproché deux photographies : celle de la mère de Barthes et celle de ma mère. Or, comme je l'avoue ici, la seconde n'existe pas. Pourtant, chaque fois que j'ai fait cet aveu, invitée à commenter le texte dans un cours, je me suis heurtée à une forte résistance. On ne me croit pas, ou plutôt on ne veut pas me croire. Comme si ma révélation détruisait quelque chose.

Ce fauve, le Bonheur, récit, Montréal, Éditions de l'Hexagone, 1998 (1re éd.), 2005 (2e éd.). L'enfance dont il est question ici ressemble drôlement à la mienne, vécue dans le Québec d'avant 1960 et marquée par dix morts en dix ans.

Colette dans l'histoire des femmes, conférence donnée par la professeure Francine Dugast.

Le siècle de Saint-Denys-Garneau I

Hector de Saint-Denys-Garneau (1912 – 1943), poète québécois. Les trois premiers vers de son poème «Accompagnement» — «Je marche à côté d'une joie / D'une joie qui n'est pas à moi / D'une joie à moi que je ne puis pas prendre» — permettent une saisie rapide du *sans issue* auquel le poète de «cette solitude irrémédiable» — dont son ami Robert Élie parlait déjà en 1949 — est confronté jusqu'à sa fin, lui qui aspire sans cesse à la joie mais qui est sans cesse harcelé, dans son corps même, par sa douleur de vivre. Le lendemain d'une promenade en canot sur la rivière Jacques-Cartier, il est retrouvé sans vie, étendu dans une mare d'eau, près du manoir familial de Sainte-Catherine-de-Fossambault, par deux enfants du voisinage.

Le siècle de Saint-Denys-Garneau II

«Faction» (extrait), *Regards et jeux dans l'espace*, Montréal, Éditions Montréal, 1937. Repris, entre autres, dans *Poèmes choisis*, préface de Jacques Brault, choix et présentation de Hélène Dorion, Montréal, Amay, Echternach, Éditions du Noroît, L'Arbre à paroles, Éditions Phi, 1993.

Le samedi 22 octobre

«Dans une ville étrangère (histoires de regards)» a été écrit pour *Territoires d'artistes/Paysages verticaux*, un événement artistique international présenté par le Musée du Québec dans la ville de Québec, en 1989, sous la direction de Louise Déry, conservatrice de l'art actuel. Ce texte a été publié dans le catalogue de l'exposition qui comportait trois autres œuvres inédites, celles du poète Frédéric Jacques Temple, de la photographe Angela Grauerholz et de l'artiste multidisciplinaire Michael Snow.

P. pour Paul Bélanger, poète et directeur des Éditions du Noroît. L'entretien qui a finalement pris la forme d'un monologue est paru dans *Liber bulletin*, Cahier d'information et de promotion des Éditions Liber, Montréal, avril 2006.

Le dimanche 23 octobre

Sylvie Germain, *Magnus*, Paris, Éditions Albin Michel, 2005. À la librairie Le Failler, où je l'ai feuilleté longuement, trois passages m'ont donné envie de ce livre : «Écrire, c'est descendre dans la fosse du souffleur pour apprendre à écouter la langue respirer là où elle se tait, entre les mots, autour des mots, parfois au cœur des mots» ; puis : «Magnus est un ourson de taille moyenne, au pelage assez râpé, marron clair légèrement orangé par endroits. Il émane de lui une discrète odeur de roussi» ; puis : «De même que sa mère le cajole en le berçant de récits, il dorlote Magnus en le caressant de mots. Il y a tant de force et de douceur mêlées dans les mots.» Un aveu : j'aime les chats et les ours. Comme toutes les orphelines sans doute. Or, les mères ne soupçonnent pas la puissance d'un telle émotion ni ses conséquences sur la suite des choses. D'autre part, mon amour a été surnommé l'Ours d'Amérique par l'ami H., et le chat gris fer de la maison s'appelle Léo parce que sa démarche et sa crinière, aujourd'hui vieillissantes, rappellent celles d'un grand félin. Pour ma petite ange, je suis désormais l'Ourse bleue.

Qu'est-elle venue faire ici

Ville-Marie (aujourd'hui Montréal) a été fondée en 1642 par Paul de Chomedey, sieur de Maisonneuve, né en France dans la province de Champagne. Dix ans plus tard, la dureté du climat, les maladies, les attaques iroquoises contre les Hurons, puis contre les Montréalistes, tout menace la colonie. Maisonneuve repart en France, à La Flèche, en 1651, pour trouver du renfort. « Je tenterai de ramener deux cents hommes, avait-il dit à son ami d'Ailleboust, pour défendre ce site. Si je n'en ai pas au moins cent, je ne reviendrai pas et tout devra être abandonné car cette place est vraiment devenue intenable. » Il est de retour à Ville-Marie, en 1653, avec une centaine d'hommes et quelques femmes, doublant ainsi les effectifs. D'où la Grande Recrue.

Gilles Boileau, « La Grande Recrue de 1653 », *Histoire Québec*, 2003. (www.histoirequebec.qc.ca/publicat/vol8num3/v8n3_1gr. htm)

Biographie de Chomedey de Maisonneuve sur le site du Mouvement estrien pour le français, source : Patrick Couture. (www.mef.qc.ca)

Saint-Barthélemy, le lundi 24 octobre

F. pour Françoise. L'amie. L'écrivaine Françoise Ascal. Quelques jours chez elle pour l'amitié et à Villemomble, chez Gaël Ascal, pour préparer la soirée de fin de résidence qui aura lieu à Rennes sur la Péniche Spectacle, le samedi 26 novembre, sous le titre de *Mémoires présentes* (pour deux voix et contrebasse). Rêvions depuis longtemps de ce spectacle à trois — en avions parlé, avions fait quelques essais qui nous avaient paru intéressants —, sans savoir où il aurait lieu ni même s'il aurait lieu.

Une forêt dense

Marguerite Bourgeois. De Champagne, elle aussi. Entre dans la congrégation Notre-Dame de Troyes, peu après la mort de sa mère, et c'est à la demande du sieur de Maisonneuve qu'elle fait la traversée et devient la première enseignante de Montréal. Ne donnera cependant son premier cours que le 30 avril 1659, six ans après la Grande Recrue, ayant d'abord eu à se trouver un lieu — un terrain avec une vieille étable — et des élèves, les enfants étant alors en nombre insuffisant.

Biographie de Marguerite Bourgeois (ou Bourgeoys), l'une des deux « Femmes fondatrices de Montréal » — l'autre étant Jeanne Mance, infirmière et fondatrice en 1642 de l'Hôtel-Dieu, premier hôpital de la Nouvelle-France — sur le site de l'Université du Québec à Montréal. (www.er.uqam.ca/merlin/ak691533/margueritebourgeoys.htm)

Entre Marne-la-Vallée et Rennes, le jeudi 27 octobre

Michel Tremblay et moi ne nous connaissons pas personnellement, mais nous pourrions être frère et sœur, nés à trois ans d'intervalle, dans le même milieu, dans le même quartier, tout près de la rue Fabre. Il est dramaturge et romancier, je suis poète. Il a écrit pour la scène des « tragédies ouvrières » — expression qu'il a créée pour parler de *Bonheur d'occasion* de Gabrielle Roy — inoubliables, parmi lesquelles *À toi, pour toujours, ta Marie-Lou, Sainte Carmen de la Main et Albertine en cinq temps*, mettant dans la bouche de ses héros, de ses héroïnes — beaucoup plus consistantes, beaucoup plus nombreuses —, la langue pauvre, limitée, corrodée par l'anglais, de notre enfance. De mon côté, j'ai l'impression de refaire, de livre en livre, l'inventaire des mots manquants, dont certains manquent encore, manqueront toujours, pourtant essentiels à la vie, à la pensée, à la parole, à l'écriture. (À lire ou à relire, *L'homme rapaillé* de Gaston Miron, les poèmes, certes, mais aussi « Aliénation délirante », mais aussi « De la langue ». Un avant-goût, ces quelques lignes de « Aliénation délirante » : « voici me voici l'unilingue sous-bilingue voilà comment tout commence à se mêler à s'embrouiller c'est l'écheveau inextricable [...] voici me voici l'homme du langage pavlovien les réflexes conditionnés bien huilés et voici les affiches qui me bombardent voici les phrases mixtes qui me sillonnent le cerveau verdoyant ».

Fille de l'Est — où ai-je lu que, dans les villes, c'est à l'Est que la pauvreté croît le plus vite ? —, fille du Plateau-Mont-Royal, celui de l'enfance, à la fois ouvrier et francophone. De l'Est. Comme Carmen. Comme Albertine. Comme Marie-Lou. Toujours dans l'abécédaire : « Des années durant. “Ma jeune fille va à l'Université”, dit sa mère. Va chercher à l'Ouest, comme si l'avenir s'y était réfugié, ce qui lui manque : pensée, langue et liberté. Lui manquera toujours. »

Les grandes marées

Marie Remy, l'une des huit cents filles à marier — souvent pauvres, orphelines —, arrivées dans la colonie, entre 1663 et 1673, appelées aussi « filles du roi », parce que leur voyage, leur installation et parfois leur dot ont été sponsorisés par le roi de France. Elles « faisaient partie du programme du roi Louis XIV pour promouvoir une colonie stable au Canada ». (www.fillesduroi.org)

Le lundi 31 octobre

« Gémellité », *La France des poètes*, sous la direction de Claudine Bertrand, Montréal, Éditions Trait d'union, coll. « Vis-à-vis », 2002.

Le carré du ciel, Saint-Pierre-la-Vieille, Atelier La Feugraie, 1998. Repris dans *Cendres vives* suivi de *Le Carré du ciel*, Rennes, Éditions Apogée, 2006.

Le mardi 1er novembre

Peter Handke, *L'histoire du crayon*, Paris, Éditions Gallimard, 1987. Là aussi, cette autre phrase soulignée à l'époque mais jamais citée : « Chacun a, dès l'enfance, la nostalgie de celui (le seul) auquel (ou à laquelle) il pourrait avec enthousiasme montrer son royaume ».

Rosetta Loy. J'ai écrit cette lettre, à la fois présentation de l'œuvre et hommage rendu à l'écrivaine, à la demande du comité de rédaction de la revue *Mœbius*, pour la chronique « Lettre à un écrivain vivant », parue à Montréal, numéro 106, été 2005. Rosetta Loy, c'est mon choix. Comme je le dis au début : « Je vous écris publiquement, une drôle de lettre donc, de ce pays où vous avez fait émigrer la sœur d'Ettore, rappelez-vous, l'un des personnages de *Ay Paloma*, ce jeune Juif que le Nacarun — sorte d'homme à tout faire du Grand Hôtel Brusson au Val d'Aoste — a vendu aux SS pour cinq mille lires. *Ay, Paloma*. Premier contact avec votre écriture et coup de foudre. Gravité, délicatesse et intensité emmêlées, petite musique de votre voix — si juste même en français, grâce à la sensibilité de Françoise Brun, votre traductrice —, tout cela m'a séduite. Après, j'ai tout lu. Ou presque. » Et plus loin : « Mémoire intime et mémoire collective, dans votre cas, indissociables. Vous êtes née "en l'an IX de l'Ère fasciste", dans une famille catholique et bourgeoise de Rome ; en 1931 donc, année où, entre autres, "une circulaire du Ministère de l'instruction publique impose aux professeurs d'Université le serment de fidélité au fascisme" ; deux ans avant le "premier des rendez-vous tragiques, pour les Juifs italiens, [...] l'arrivée d'Hitler au pouvoir" ; deux ans également avant le "Concordat entre l'Église et le IIIe Reich, encouragé et signé par le secrétaire d'État, le cardinal Eugenio Pacelli", futur Pie XII. Tout cela se retrouve dans *Madame Della Seta aussi est juive*, d'abord publié en italien sous le titre

La parola ebreo (traduction littérale : *Le mot juif*).» *Ay, Paloma*, Paris, Éditions Rivages, 2002 ; *Madame Della Seta aussi est juive*, 1999.

Le dimanche 6 novembre

Marguerite Duras, *Écrire*, Paris, Éditions Gallimard, 1993 ; *L'été 80*, Paris, Les Éditions de Minuit, 1980.

Autour de votre joie I

Le parc Lafontaine. Pas n'importe quel parc — bien que je souhaite ardemment, chaque fois qu'il apparaît dans l'un de mes textes, passant ainsi de la vie à la fiction, qu'il acquière un statut universel. Le parc Lafontaine, à la frontière sud du Plateau-Mont-Royal ; chaque fois, et elles sont nombreuses : *La promeneuse et l'oiseau*, «La blessure», *Ce fauve, le Bonheur, Tombeau de Lou, Pendant la mort, La marathonienne*.

Autour de votre joie II

La «grande noirceur». Ces années, de 1944 à 1959, pendant lesquelles un homme a dirigé le Québec, à la manière d'un gros village, l'a enlisé dans un conservatisme aliénant et un nationalisme sans grandeur ni avenir, a empêché sa modernisation et son ouverture, et ce, avec l'appui du clergé. Il a fallu attendre 1960 et le début de ce que l'on a appelé la «Révolution tranquille» —, avec notamment la création du ministère des Affaires culturelles et du ministère de l'Éducation, la création des cégeps (collèges d'enseignement général et professionnel) et de l'Université du Québec — pour se mettre à l'espoir.

Simpson, comme *Eaton*, *Morgan*, *Ogilvy*, grands magasins de la rue Sainte-Catherine, à l'ouest de la ville, très anglophone depuis toujours — l'une des conséquences de la Conquête de 1760. Jusqu'à ce que soit adoptée, en 1977, la Charte de la langue française, souvent contestée mais précédée par les lois 63 et 22, qui, elles, n'avaient contenté personne.

Drabes. Adjectif créé à partir du mot anglais, *drab* : terne, fade, morne, triste, etc.

Le jeudi 10 novembre

Bernard Bretonnière, *Pas un tombeau*, Chaillé-sous-les-Ormeaux, Éditions Le dé bleu, 2003.

Vous vous éloignez sans bruit

Yasmina Reza, *Nulle part*, Paris, Éditions Albin Michel, 2005. L'expression « lieu de passage » de cette citation se retrouve également dans *Le mardi 1er novembre*.

Elle écrit, elle invente I

Games, sculpture de Michel Goulet, 1988 ; acier, objets divers.

Elle écrit, elle invente II

Montréal. Île encerclée par un fleuve, une rivière, quelques lacs. Sur cette île, à l'ouest, le mont Royal — couramment appelé « la montagne ». Et sur la montagne, plusieurs cimetières dont Notre-Dame-des-neiges, site historique et troisième plus grand cimetière en Amérique du Nord, où le cercueil de mon père a été enterré.

Déjà ailleurs I

Suzanne Jacob, *Les fugueuses*, Montréal, Éditions du Boréal, 2005.

Le dimanche 20 novembre

Fin, installation de Julie-Christine Fortier au Centre d'Art et d'Essai de l'université. C'est Paul-André Fortier, son oncle, chorégraphe et danseur avec lequel j'ai travaillé dans le cadre du Festival international de littérature de Montréal — souvenir fort et dense —, en septembre, juste avant mon départ, qui nous a mises en contact. Lui et moi avions tout de suite sympathisé, avions parlé danse, littérature et art — notre autre passion —, je partais quelques jours plus tard, il a eu envie que sa nièce et moi nous rencontrions, que quelque chose se poursuive... ailleurs et autrement.

Déjà ailleurs II

En avril 1942, suite à un plébiscite, une loi autorise la conscription au Canada, malgré qu'au Québec 72,9 % de la population — majoritairement francophone — ont voté contre. (www.collectionscanada.ca/education/king)

Le mardi 22 novembre

Betty Goodwin. Artiste multidisciplinaire majeure. Autre hasard : Paul-André Fortier l'a chorégraphiée et dansée, collaborant avec elle pour *La tentation de la transparence* (1991) et *Bras de plomb* (1993) ; je l'ai mise en mots, en 1990, dans *Black Words*, livre d'artistes accompagné de trois dessins et de sept impressions laser, imprimé à Montréal et édité à Paris par « Collectif Génération ».

À la manière de l'Ange dans *Théorème* de Pasolini

François Paradis, personnage de *Maria Chapdelaine*, œuvre de Louis Hémon, et Survenant, héros éponyme du roman de Germaine Guèvremont, bouleversent les êtres autour d'eux et disparaissent vite, laissant derrière eux une image souveraine. À la manière du personnage incarné par Terence Stamp dans le film de Pasolini.

Et votre fille, la nuit I

Marguerite Duras, *La maladie de la mort*, Paris, Les Éditions de Minuit, 1982.

Et votre fille, la nuit III

Anne Hébert, *Le torrent*, Montréal, Éditions HMH, coll. « L'Arbre », 1967. La figure de « la grande Claudine » et la citation viennent de là. Dans la chronique « Livre de voûte » de la revue *Le Sabord*, Trois-Rivières, n° 35, 1993, j'avais choisi de parler de ce livre. D'y revenir des années après mes premières lectures. D'y examiner mon silence. Car « longtemps je me suis refusée à reconnaître le bruit du torrent qui grondait en moi. Pendant toutes ces années, j'aurais pu faire miens, les mots de François, le fils bâtard de la grande Claudine, lui qui libérera Perceval, le cheval indomptable qui piétinera sa mère : "Je voudrais ne pas savoir. Je repousse la conscience avec des gestes déchirants." »

Paris, le lundi 5 décembre

« Deuils », dans *Autrement*, numéro dirigé par Nicole Czechowski et Claudie Danziger, Série « Mutations », n° 128, mars 1992. « Vivre, c'est perdre», sous-titre du numéro et titre du texte de André Comte-Sponville, emprunté à François George, *Sillages*, Paris, Hachette, 1986. La dernière citation appartient également au texte de André Comte-Sponville.

Le jeudi 8 décembre

Ron Mueck. Lui aussi me poursuit. Lui aussi entré dans l'abécédaire à la lettre *Ô*, celle qui étrangement commence par «Mère, mort et mélancolie». Ma mère partout jusqu'à l'intérieur de la Cité de l'énergie à Shawinigan, occupée pour la première fois, été 2003, par une exposition d'art contemporain. Ma mère. Deux visages d'elle posés sur deux sculptures aux dimensions contraires, placées de biais dans le même espace. D'un côté, *Maman*, l'araignée monumentale de Louise Bourgeois ; de l'autre, *Sans titre (Vieille femme au lit)* de Ron Mueck, mère «miniature, couchée sur le côté, son corps d'enfant usée, replié, rompu, recouvert d'un drap et d'un couvre-lit blancs, son corps en raccourci». Au dernier moment, une pensée extravagante. Mon père, lui, sauvé de justesse, ne deviendra jamais un Mueck. Impossible de l'associer à ce gigantesque homme nu, appuyé sur le mur du fond de l'une des salles du Grand Palais. Malgré sa probable solitude, sa probable mélancolie.

Pour «langer le noir». Linda Bonin, «La chambre noire de l'intime», dans *L'étrangère*, «Poésies francophones», n° 4/5, 2003.

Bibliographie

Poésie

L'œil au ralenti, postface de Lise Lamarche, Montréal, Éditons du Noroît, à paraître octobre 2007.

The Night Will Be Insistent, Selected Poems : 1997 – 2002, traduit par Daniel Sloate, Toronto, Guernica Editions, 2007.

Ce désir toujours, un abécédaire, Montréal, Éditions Leméac, coll. « ici l'ailleurs », 2005.

Mémoires parallèles, anthologie (choix et présentation de Paul Chamberland), Montréal, Éditions du Noroît, coll. «Ovale», 2004.

Pendant la mort, Montréal, Éditions Québec Amérique, coll. «Mains libres», 2002.

Tombeau de Lou, autour de *Visions domestiques*, treize photographies de Alain Laframboise, Montréal, Éditions du Noroît, 2000. Prix de la Société des écrivains canadiens et prix de la Société Radio-Canada.

«Ma joie», crie-t-elle, avec huit dessins de Francine Simonin, Montréal, Éditions du Noroît, 1996.

Cimetières : la rage muette, autour de dix photographies de Monique Bertrand, Montréal, Éditions Dazibao, coll. «Des photographes», 1995.

Le saut de l'ange, autour de quelques objets de Martha Townsend, Montréal et Amay (Belgique), coédition Le Noroît et L'Arbre à paroles, 1992. Prix du Gouverneur général du Canada, prix du Signet d'or de Radio-Québec et prix Terrasses Saint-Sulpice de la revue *Estuaire*.

Leçons de Venise, autour de trois sculptures de Michel Goulet, Saint-Lambert, Éditions du Noroît, 1990. Prix de la Fondation Les Forges (aujourd'hui Grand Prix du Festival international de poésie de Trois-Rivières).

Mais la menace est une belle extravagance, avec sept photographies de Ariane Thézé, suivi du *Signe discret*, Saint-Lambert, Éditions du Noroît, 1989. Prix du *Journal de Montréal*.

Le signe discret, avec dessins de Francine Simonin, Lausanne, Éditions Pierre-Alain Pingoud, 1987.

Un livre de Kafka à la main, avec photographies de Jocelyne Alloucherie, suivi de *La blessure*, Saint-Lambert, Éditions du Noroît, 1987.

Écritures / Ratures, «textes d'atelier», avec dessins de Francine Simonin. Saint-Lambert, Éditions du Noroît, collection «Écritures / Ratures», 1986.

La répétition, avec photographies de *La salle de classe*, installation de Irene F. Whittome, Montréal, Éditions de La nouvelle barre du jour, coll. «Auteur/ e»,1986.

Nous en reparlerons sans doute, en collaboration avec Anne-Marie Alonzo, à partir de cinq photographies de Raymonde April, Laval, Éditions Trois, 1986.

: dimanche, Montréal, Éditions de La nouvelle barre du jour, 1985.

L'écran précédé de *Aires du temps*, avec deux dessins de Francine Simonin, Saint-Lambert, Éditions du Noroît, 1983.

En état d'urgence, avec un dessin de Francine Simonin, Montréal, Éditions Estérel, 1982.

La promeneuse et l'oiseau suivi de *Journal de la promeneuse*, avec une gaufrure et un dessin de Lucie Laporte, Saint-Lambert, Éditions du Noroît, 1980.

Marie, tout s'éteignait en moi, avec dessins de Léon Bellefleur, Saint-Lambert, Éditions du Noroît, 1977.

Comme miroirs en feuilles, avec un dessin de Léon Bellefleur, Saint-Lambert, Éditions du Noroît, 1975.

Poésie jeunesse

La marathonienne, avec estampes de Maria Cronopoulos, Montréal, Éditions de la courte échelle, coll. «Poésie», 2003. Mention spéciale du jury du Prix Québec/Wallonie-Bruxelles de littérature jeunesse 2005.

Récit

Ce fauve, le Bonheur, Montréal, Éditions de l'Hexagone, coll. «Fictions», 1998.

Correspondance

Lettres à Cassandre, en collaboration avec Anne-Marie Alonzo, postface de Louise Dupré, Laval, Éditions Trois, coll. «Topaze», 1994.

Livres d'artistes

Sainte Sébastienne II, hommage à Louise Bourgeois, en collaboration avec Hélène Dorion, Jacques Fournier et Françoise Sullivan, Montréal, Éditions Roselin, 2007.

«extrême octobre, extrême ocre», in *Quinte et Sens*, coffret édité par BPI d'après une idée originale de Christine Jeangrand et Hugues Saint-Gaudens, avec cinq gravures originales de Jean-Paul Gaultier, Issey Miyake, Jacqueline Ricard, Narciso Rodriguez et Donatella T., et cinq textes inédits de Philippe Delerm, Denise Desautels, Charles Juliet, Dominique Noguez et Chantal Portillo, Paris, 2005.

Apparitions, avec des estampes numériques de Bonnie Baxter, conception et réalisation Jacques Fournier, imprimé à l'atelier Sagamie, 2005.

Une solitude exemplaire, avec sept aquatintes en relief de Jacques Clerc, Crest (France), Éditions La Sétérée, 2004.

L'enfant mauve, en collaboration avec Jacques Fournier et Jacqueline Ricard, Montréal et Paris, Éditions Roselin et Éditions La Cour pavée, 2004.

«Avant l'aurore», in *Noir*, portfolio réalisé en collaboration avec les artistes Tony Soulié, Axel Cassel, Charles Bezié, Malgorzata Pazko, Liliane Muller, Nacer Adjer et Jacques Clerc, Paris, Noria Éditions/Karin Haddad, 2002.

Novembre, en collaboration avec Jacques Fournier et Jacqueline Ricard, Montréal et Paris, Éditions Roselin et La Cour pavée, 2001.

Architectures, en collaboration avec Gabriel Belgeonne, Jacques Clerc et Jacques Fournier, Belgique, France et Québec, Éditions Tandem, La Sétérée et Roselin, 2001.

Parfois les astres, en collaboration avec Louise Dupré et Jacques Fournier, Montréal, Éditions Roselin, 2000.

De la douceur, en collaboration avec Jacques Fournier et Jacqueline Ricard, Montréal et Paris, Éditions Roselin et Éditions La Cour pavée, 1997.

L'écho, La chambre, La nuit, triptyque dont chaque titre comprend deux gravures de Jacqueline Ricard, Paris, Éditions Raiña Lupa, 1996.

L'acier le bleu, avec une gravure de Jacqueline Ricard, Paris, Éditions Raiña Lupa, 1996.

La passion du sens, en collaboration avec Sylvia Safdie et Jacques Fournier, Montréal, Éditions Roselin, 1996.

Le vif de l'étreinte, avec vingt aquarelles originales de Claire Beaulieu, conception et réalisation Jacques Fournier, Montréal, Éditions Roselin, 1994.

Théâtre pourpre, avec dix peintures originales de Jean-Luc Herman, Paris, Éditions Jean-Luc Herman, 1993.

Black Words, avec trois dessins originaux et sept impressions laser de Betty Goodwin, Paris, Éditions «Collectif Génération», 1990.

L'auteure a profité d'une résidence à la Villa Beauséjour (maison de la poésie de Rennes) pour l'écriture de ce livre. Depuis 2004, au bord du canal d'Ille-et-Rance, grâce au soutien de la ville de Rennes, de la Drac et du Conseil régional de Bretagne, les auteurs peuvent mener à bien un projet spécifique qui s'inscrit de façon cohérente dans leur parcours. Ceux-ci ont été jusqu'à présent : Jean-Pascal Dubost, Patrick Beurard-Valdoye, Dominique Grandmont et Denise Desautels.

Dans la même collection
« Piqué d'étoiles »

C. Andrzejewski, Y. Bergeret, L. Bourg, M. Dugué, G. Ortlieb, R. Piccamiglio, J.-C. Pirotte, L. Schlechter
Au bout du bar

Françoise Ascal
Un automne sur la colline
Issues
Cendres vives suivi de *Le Carré du ciel*
La Table de veille

Christian Bachelin
Mémoires du mauve

Anne Cayre
Visage de Manuel
Adrien, seul

Louis-François Delisse
Notes d'hôtel

Henri Droguet
Albert & Cie

Michel Dugué
Le Chemin aveugle

Michaël Glück
Figures inachevées avec vue sur la mer

Claude Herviou
L'Enfant de la zone des tempêtes
Villas frontalières

Alain Jégou
Passe Ouest suivi de *IKARIA LO 686070*

Jean-Claude Le Chevère
Mais le vert paradis...

Pierre Le Coz
L'Extase au noir
La Tanière du soleil
Le Fleuve des morts

Anne-José Lemonnier
L'Île sœur

Fatima Mana
L'Arbre de Combier

Yves Picard
La Justice apparente

Erwann Rougé
Bruissements d'oubli

Michel Valprémy
Cache-cache vinaigre

Éditions Apogée
11 rue du Noyer
35000 Rennes
T 02 99 32 45 95
F 02 99 32 45 98
apogee.rennes@wanadoo.fr
www.editions-apogee;com

Dépôt légal : octobre 2007
Achevé d'imprimer sur les presses de l'imprimerie Jouve

Imprimé en France